アフガニスタン

戦禍からの再生・希望への架け橋

NPO法人「カレーズの会」理事長・医師
レシャード・カレッド 著

街中で遊ぶ子どもたち（カンダハール）

高文研

バーミヤン大仏

バーミヤン地区で建造された巨大石仏。東大仏は５世紀中頃、西大仏は５世紀末頃に建立されたといわれる。

高さ 55 メートルの西大仏（左）

2001 年３月に当時のタリバンとアルカイダによって破壊された（右）

パグマン凱旋門

1930 年代にアマヌラハーン王によって、フランス・パリの凱旋門をまねてパグマン地区に建設された（上）

1980 年代のソ連の侵攻によって破壊された（下）

アフガニスタンの結婚式は、風習によって男性と女性の会場は別々に分けられるが、タリバン政権の厳しい管理下でも自由な雰囲気でにぎやかに催された。女性の会場で披露された踊り（2023 年 2 月 16 日　カンダハール）

◎——もくじ

3章　私の歩んできた道

4章　アフガニスタンが歩んだ道

6章 アフガニスタンの将来のために

装丁＝商業デザインセンター・増田絵里

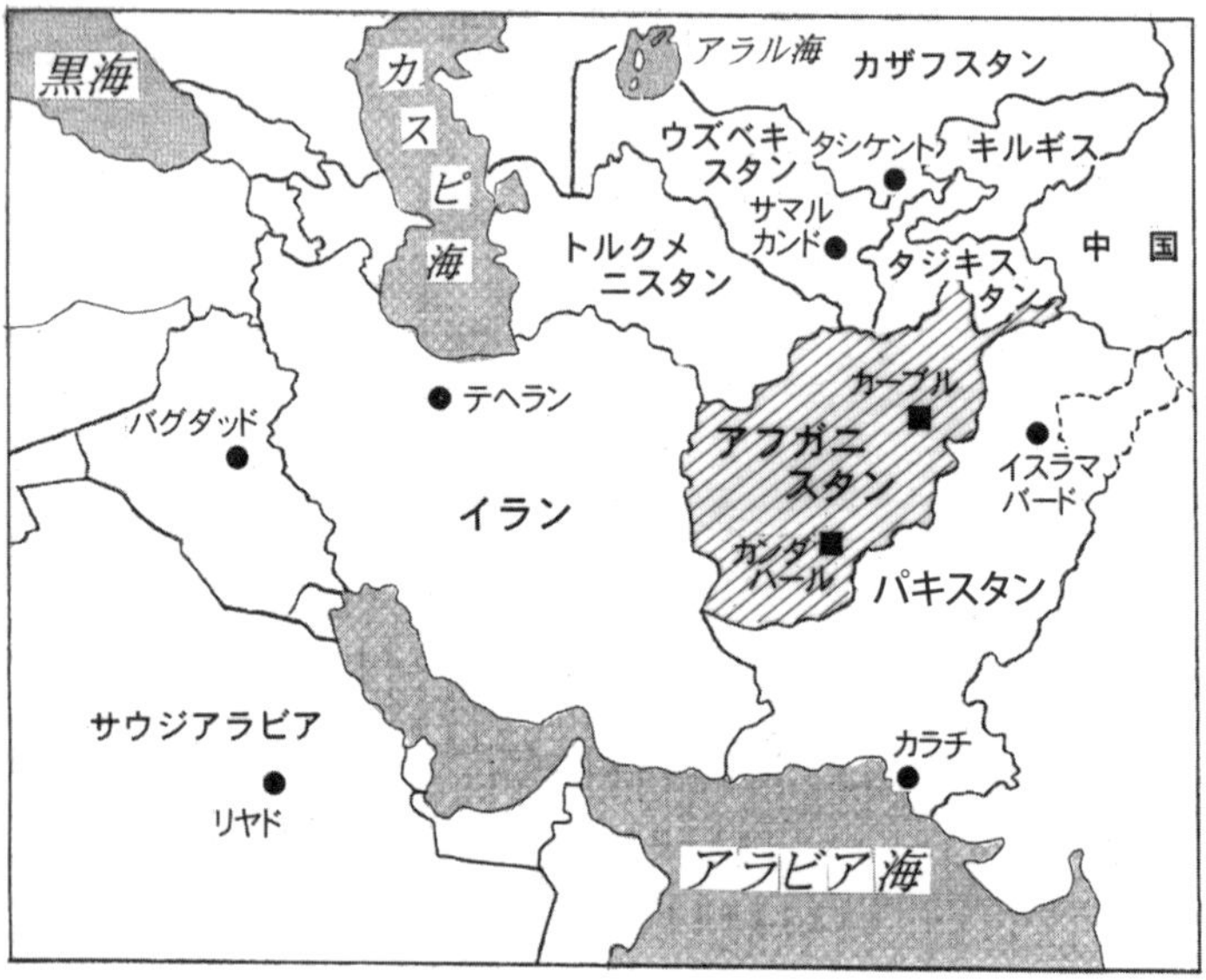
黒海
カスピ海
アラル海
カザフスタン
ウズベキスタン
タシケント
キルギス
サマルカンド
トルクメニスタン
タジキスタン
中国
テヘラン
カーブル
アフガニスタン
バグダッド
イスラマバード
イラン
カンダハール
パキスタン
サウジアラビア
カラチ
リヤド
アラビア海

アフガニスタン
マザリシャリフ
ジャララバード
カーブル
バーミヤン
ヘラート
ペシャワール
イスラマバード
カンダハール
カレーズの会
現地拠点

序：緑豊かな国だったアフガニスタン

アフガニスタンはシルクロードの交差点ともいわれます。実際、過去には、種々の文化、宗教、人種が交差し、豊かな文化を確立した歴史を築いてきました。国土の約三分の二が山地・山脈です。東西に位置して水の山を意味するヒンズクシュ山脈の最高峰は約七七〇〇メートルを誇り、万年雪に覆われ、周囲の地域を潤《うるお》していました。

アフガニスタンの国民の主食は麦で、全国各地で栽培されています。米も多くのところで収穫されます。野菜類も多く採れ、果物の宝庫でもありました。緑豊かなこの国は、美しく、人々の心にも余裕があって、お互いに助け合い、来客を大事にしました。

砂漠地帯は、雨が多く降る春には一面が花畑に置き換わり、その風景は美しいものでした。この時期には、国の至るところで花見、果物狩りなどのお祭りが行われていました。アフガニスタン人は、隣人、客人、他国からの訪問者などを大切にし、家庭にあるだけの食糧を差し出して、最大限にもてなす風習があります。これがシルクロードの文化であり譲り合いの心でもあります。

シルクロードの交差点は、人々の交流の場でもあります。さまざまな宗教や文化が行き来し、時代とともに成長し、息づいていきました。インドから北上した仏教は、バーミヤンの地に根を下ろして拡大し、中国を経て、日本まで伝わりました。西遊記では長旅の末、この地に辿り着いた三蔵法師が、「バーミヤン大仏が太陽の光に眩しく、黄金色に輝いていた」と述べており、この時代のアフガニスタンの繁栄を物語っています。

アショカ大王、カニシカ大王の時代はアフガニスタンが最も潤っていた時代で、遠方の国々から足を運ぶ旅人たちがラクダのキャラバンを組んで訪問することが盛んでした。

自給自足で暮らし、シルクロードの交差点としての役割を果たし、多くの国々の交際と交渉の場でした。第一次世界大戦や第二次世界大戦でも中立的な立場を貫いて、平和の象徴として信頼された国でした。

もちろん、これは過去のアフガニスタンの姿です。

アフガニスタンは内陸に位置していますから、多くの国々に包囲されています。どの時代にもそれぞれの国々や文明によって侵略され、押し潰され、都合よく利用されてきました。永年の侵略、抗争、憎しみ合いによって、全てが崩壊し、人々の心にも大きな傷を残すことになってしまいました。このような哀れな歴史をもつ国であることを、改めて自覚することになりました。

とりわけ一九七九年一二月にソ連軍の南下作戦を目的に侵攻され、約一〇年間戦禍を繰り返したことが、結果的にアフガニスタンの崩壊を招くことになり、今日に至ります。ソ連軍の南下作戦を食い止めようとして、米国やNATO諸国は、ムジャヒディンという反ソ連組織を立ち上げ、米C

IAが軍事的な訓練を行い、ソ連軍は敗走して、結果的にソ連崩壊を招くことになったのです。大量の武器や弾薬と、訓練されたテロ組織がアフガニスタンに残されて内戦や悲劇を引き起こし、テロの温床となったのです。

それを収めようと登場した無経験なタリバンが政権を掌握し、自分たちの想いだけに走って国際社会から排除されることになりました。その結果、ニューヨークの同時多発テロが引き起こされる要因の一つと言われるようになりました。

二〇〇一年九月一一日、ニューヨークでハイジャックされた旅客機四機が世界貿易センターや米国防省に突入し、死者・行方不明者三〇六二名が犠牲になりました。

アフガニスタンのタリバン政権が、同時多発テロの主犯格と思われたアルカイダの指導者（オサマ・ビン・ラディン）の引き渡しを拒否したために、それに対する対抗措置として、一〇月七日からアフガニスタン各地で米英軍による空爆が開始され、一一月には特殊部隊が突入、一二月にはタリバン政権の崩壊を招きました。さらに米国やNATO軍のテロを撲滅する攻撃で、アフガニスタンが地獄に落とされたことはご存知の通りです。

その後、最大で一〇万人の外国の軍隊が駐留することになりました。

崩壊したこの哀れな国がまた独り歩きをさせられ、新たな攻撃の犠牲になりました。

ああ、悲しい。悲しい運命に遭遇した国アフガニスタンの救いを神様に願うばかりです。

＊

私の願いは届くことなくアフガニスタンの混乱は止まず、「9・11」から二〇年の二〇二一年八月、米軍が全面撤退を完了するとタリバンは再度「権力」を掌握しました。米国大統領は、この間ブッシュ氏、オバマ氏、トランプ氏、バイデン氏へと替わりました。

ソ連、米国に翻弄されつづけたアフガニスタンのこの四〇年余を振り返り、今後を考えていただくために、まずは二〇二三年二月、三年ぶりの私たちのアフガニスタン視察報告からこの本をはじめることにしましょう。

1

アフガニスタン視察―二〇二三年二月

―タリバン政権下の市民生活、医療状況報告

❖タリバン政権の再樹立――国民との信頼と絶望の幕開け

アフガニスタンでアメリカの支援を受けて設立した「イスラム共和国」時代、当事のカルザイ大統領が中心になって、アフガニスタンを再度テロの温床にしないために国際社会の支援を受けて、「平和と進歩」を合い言葉に政府の業務と責務を永年果たしてきました。日本においても二〇〇二年一月にアフガニスタン支援会議が開催され、緒方貞子さんが国連難民高等弁務官事務所(UNHCR)の事務長の立場でその会長を務め、多くの国々から多額の支援が約束されました。

国際社会のこの多額の支援金がアフガニスタンの復興と再建に期待ほどの効果を上げられない中、政権がガニ大統領に引き継がれました。カルザイ政権で残されていた課題の最終的な仕上げを、ガニ政権は期待されました。

しかし、国民の期待と夢は果たされず、公務員の賄賂《わいろ》、内戦の勃発と治安の悪化に加え、干ばつと食糧不足がこの国を再度破綻の方向に突き落とすことになりました。国民が誰を信じて、誰を頼って良いのか、再度路頭に迷うことになりました。当然このような情勢を見ている国際社会も、期待と希望を失うこととなり、支援金の減少や技術支援の限界を知ることになっていきます。

一方で、アメリカでも政権交代とともに政治的な思惑が変化し、いつまでも先の見えない戦争と「平和の遊び」に終止符を打つことを決心しました。アメリカ第一を唱えていたトランプ政権が、アフガニスタン政権と対立状態にあったイスラム主義勢力タリバンと対話を提案し、結論を得た時には米軍の完全撤退とタリバン政権の復活を「ほのめかす」約束をしました。しかし、この話し合いにはアフガニスタン政府の参加や意見聴取を行うことなく、アメリカ政府のみで結論を急いでしまいました。

結果的に二〇二一年八月一五日にガニ大統領が海外へ逃亡し、三〇万人と目されていたアフガニスタン政府軍が役割を果たすことなく、ふたたびイスラム主義勢力のタリバンが政権を掌握することになりました。

タリバン政権はカーブルを制圧して間もなく政権発足を発表しました。過去に政権の重要なポストで活躍した数人も新しい政権に参加し、新しい時代を担うことを約束しました。「すべてのアフガニスタン人を代表する包括的な政府を作り、国家を再建する」と訴えて、国民の信頼を得ようとしました。国会に当たるロー・ヤジルガでも同じような施政方針を明確にし、承認を得ました。

しかし、タリバン政権が安定した地位と権力を掌握すると間もなく、イスラム教の法則（シャリア）に則していない行動や風習を制限し、中学校以上の女子生徒の教育を制限し、学校を閉鎖することを命じました。次第にこの傾向が強くなり、大学の授業への女子学生の出席を停止し、医療や教育施設で働いている女性の勤務を制限するようになりました。二〇二二年になると、NGOで勤めている女性職員の業務停止を発表し、また二〇二三年四月には国連に勤めている女性職員の出勤を停止しました。このような偏った行動によって、国際社会と隔たりが生じる傾向が目立つようになりました。

そのためほとんどの国際ＮＧＯが活動の継続不可能を理由に引き上げることになりました。また、二〇二三年一月には大学の入学試験には女子学生の申請を受けないように、各大学に指令を出しました。このような政変によって国際社会のアフガニスタンに対する支援や協力が制限されるようになりました。一方で、この状況の中でもアフガニスタンを支援するＮＧＯで、私が理事長を務めるカレーズの会、故中村哲先生が率いていたペシャワール会の活動は影響されることなく、現地で継続され、女性職員も職務を遂行していました。

❖三年ぶりのアフガニスタン視察

タリバン政権の活動方針や、設けられている制限の本意を確認すること、国際ＮＧＯや国内ＮＧＯの活動継続の可能性を探ることを目的に、アフガニスタンの視察を計画し、二〇二三年二月六日に日本を出発することになりました。

二〇一九年までは毎年視察訪問をしてきましたが、新型コロナ感染の拡大によって三年間アフガニスタンを訪問することができませんでした。久しぶりの訪問、活動と種々の政治的な思惑に関して、現地で責任のある立場の方々と面会し、国際団体の活動の継続、国民に教育を受ける機会を与えるなどの難題について、話し合いを深めることができればと考えました。

同行者は猫塚義夫さん、清末国夫さん、内堀タケシさんの三名です。猫塚先生（整形外科医）と清末さんは北海道パレスチナ医療奉仕団のメンバーで、パレスチナの難民キャンプで一三年間活動を続けている経験があります。内堀さんは写真家で、過去に一〇回アフガニスタンを訪問し、アフガニスタンの写真展を各地で開催し、小学校四年生の教科書にもその活動が記載されています。一方で、日本で不要になったランドセルをアフガニスタンの子どもたちに送る活動もしています。

■出発：二〇二三年二月六日、七日【羽田～イスタンブール】

二月六日夜に羽田空港を出発し、トルコのイスタンブール経由でアフガニスタンに入る計画です。直前にトルコ南部を中心にしたマグニチュード七・八の地震があり、イスタンブールに到着した七日にも同様の余震がありました。この地震によって、この時点で約八〇〇〇～九〇〇〇人の死者が出たと発表がありました。この時期は寒期ですが、今年は例年にないほどで、零下まで下がるような寒い日が続いていました。

イスタンブールに早朝に到着、カーブルへの出発は夜でしたから、冷気の中で市内を回りました。アフガン・アリアナ航空の出発が遅れ、八日早朝のカーブル到着予定も当然遅れました。空港の気温も零下一度で、周囲の雪景色が久々に懐かしい想い出を呼び起こすようでした。

■報告：二月八日【カーブル】

カーブルに到着。ホテルにチェックイン後に活動計画を整理して、午後から活動を開始しました。

タリバン政権発足後、市内の移動に対するチェックが以前より厳しくなり、あちらこちらで一般市民や、特に外国人への監視が行われているようです。この日も、車の中から市内の風景を撮影していた清末さんが警察官に携帯電話を没収され、検問のために連行される羽目になってしまいました。幸い、事情説明や撮影した写真の確認で相手が納得し、大きな問題にならずに解決できました。

予定より一時間ほど遅れて到着した結核研究所で、保健省感染症対策部長（過去にカレーズの会の診療所に勤めていた医師、日本でも研修を受けている）をはじめ、結核対策課長と数人の医師や職員が待っていてくださり、協議を始めました。その中で、国際支援の停滞と縮小が課題となり、特に現在のプロジェクトの開始から関わっている日本の国際協力機構（ＪＩＣＡ）の支援と指導の停滞に疑念を持つとともに、活動の継続に大きな支障が出ているとのことでした。

また、世界保健機関（ＷＨＯ）やＪＩＣＡの推薦と協力によって結核対策で投与される全薬剤の費用を、感染症対策の国際機関のグローバルファンドの支援金で賄っていたものが、二〇二三年で契約が終了することへの不安を訴え、今後はこの費用をどこから、どのように支払うのかと相談がありました。計画書のコピーの提出を求め、在カーブル日本大使館に報告に行くときに説明をすること、日本ではＪＩＣＡ本部の役員にお願いすることを約束しました。

一方で、コロナ感染の拡大とともに感染症対策を強化するために、結核対策の職員をコロナ感染対策に導入することになり、結核対策の活動が制限されてしまいました。コロナ感染が安定した折には職員が戻ってくることを期待したが、ほとんどが戻っていないようです。

結核患者でコロナに感染した人の様態は悪化し、治療の継続困難や隔離などの対応の結果、ＭＤＲ（多剤耐性菌）のケースが大変増えています。今後はその対策と対応に人員と資金の強化が必要ですが、国際的な支援の欠如が先の見えない状況を招いています。この状況の中でも、ＪＩＣＡの専門家で、長らくアフガニスタンの結核対策アドバイザーを務めていた磯野光夫さんが、時々電話で対応をしてくださることへの感謝を述べていました。


結核研究所の次にＡＦＧＨＡＮ−ＪＡＰＡＮ感染症病院を視察し、院長をはじめ、医師や多くのスタッフと現場を見ながら説明を受けました。やはり、コロナ対策のあおりを受けるとともに国際的な支援の欠如によって業務が厳しい状況にあります。また、機器類のメンテナンス不足によっても日常業務に不備が生じていました。このような中でも職員一同が一所懸命に日常業務を継続していましたが、職員の日本国内および現地でのトレーニング不足から、意欲と知識レベルの低下が散見されました。早急に何らかの対策が必要だと感じました。

この病院は日本のＯＤＡの資金によって建設され、機器類もほぼすべてが提供されています。しかし、時には対応していた設計士や現場監督級の職員が感染症の実態を十分に把握しきれていないこともあり、使用開始後に問題や難題に気づいたことも報告されました。

保健省を訪問して、大臣、副大臣らと面会

■報告：二月九日【カーブル】

九日の木曜日は、アフガニスタンでは仕事が半日の日ですが、保健省の上部役員が対応してくださり、有意義な意見交換ができました。予定では保健省の大臣補佐官の対応となっていましたが、保健省を訪ねると会場が大臣室に設けられ、大臣のカランダールイバード医師をはじめ、副大臣、総務部長、ポリオ対策責任者などの方々との面会となりました。

冒頭、私がカレーズの会の活動を説明し、実績や課題を丁寧に示しました。出席者全員が聞き入ってくださいました。そして今後の活動計画として、学校の保健室創設の試みを説明したところ、大臣がびっくりした様子で、「実は私もこのような計画を考えていたので感動を覚えた」と声をあげました。大臣の発言は以下のようです。

「私は子どもの健康は一番大事であると思っています。その子どもの成長期においてしっかりとフォローや対応をすることが重要であり、子どもの栄養状態と成長の度合い、運動能力の維持、悩みに対応をすべきだと思っていました。それを皆さんが具体的な計画まで立てて、勧めていることは素晴らしいことで、是非とも継続し、しっかりとした成果を上げていただきたい。支援が必要であれば、遠慮なく申しつけてもらっても良い」

さらに私は、タリバン政権発足後に、国際社会の医療に対する支援が停滞していることや、その影響は国民にとって厳しい結果を生んでいるので、それに対応する必要があることを説明しました。大臣は「全くその通りで、私としては医療・保健と国民の健康を、政治と関わらせたくありません。タリバン政権の政策に偏りがあっても国民は一人ひとり健康でいられる権利があります。是非ともそれを国際社会の皆さまに伝えてもらいたい。特に、アフガニスタン人が最も好きな国と国民である日本にそれを理解してもらいたいです。過去においても、日本は何の条件を付けることなく、アフガニスタンやアフガニスタン人民を支援していただき、計り知れない良き友人です」と述べました。

私も大臣の考えに同意し、健康と政治を分離することに同感であると伝えました。会議内容と大臣の想いを、日本大使とＪＩＣＡの皆さまにしっかりと伝えることを約束しました。

保健省からの帰り道、氷点下の寒さの中で積もった雪の上に子ども二人が座って、靴磨きのブラシを持ち、「靴を磨くか」と数少ない通行人に声をかけていました。雪解けで汚れた靴を磨く人は誰もいないのは分かっているはずですが、口に入るわずかな食べ物への期待が子どもたちの心の頼りなのかもしれません。他にも車の窓に近づいて「水は買いませんか?」などと、稼ぐ手段のない子どもたちが大勢見受けられました。この国やタリバンに対する抑圧の結果から生じた経済的な事情を反映し、犠牲になっているのは常に小さな子どもや罪のない人々であることを改めて感じました。

午後には、ACBAR（全国NGO組織）の本部を訪れました。ACBARはアフガニスタン国内で認定されているNGO組織を総合的に管理し、その収入へのサポート、事業の側面支援、政府や国際組織に対するアピールを総合的に行っています。

会議の中で私は、タリバン政権を承認していない多くの国々が直接の支援を控えていることを念頭に、ACBARのような組織が中心となって支援金の受け入れや支援を各NGOに配布して、国民、特に小児の健康や栄養状況の改善を図ることが有意義ではないかと提案しました。国際社会の厳しい対応を柔軟に考えるためにもこのような対策は必要です。そのためにはタリバン政権の重要なポストにいる方々に、女性に対する厳しい対応を見直してもらう必要があります。このようなアドバイスを政府に行うこともACBARの役割ではないかとも提言しました。

今月中にACBARの役員選挙があり、このような方針を含めて、今後の対策の練り直しなどを

雪に覆われている山々とカーブル川

その後の役員に委ねることになるだろうと説明がありました。

この日の夕食は、カーブルに居住して活動している共同通信現地記者の安井浩美さん、アフガニスタンが好きで長く国際NGOに勤めている笠原伯夫さん、共同通信イスラマバード支局の新里記者とともに楽しみました。アフガニスタンの現状や一般市民に対するタリバンの管理の厳しさなどについて話を聞きました。楽しい会となり、現地の方々も久しぶりに日本からの来訪者と会い、語り合えたことを喜んでいただきました。

■報告：二月一〇日【カーブル～ジャララバード】

金曜日はアフガニスタンでは休日です。

零下四度の寒さと昨日降った雪が凍って、大変寒い日になりました。ジャララバードに陸路で移動します。カーブル市内では凍っている道路を走って、山間に出ると美しい雪景色が広がり空気が爽やかになっていくことを感じました。そして、マヒパル峠を過ぎると次第に温かい春らしい気候となり、カーブル川の流れが方々に広がる形で泡を立てて、豊かな自然の営みを見せてくれました。

昼食は獲ったばかりの魚を川傍の縁台に座って食べました。しかし、食べている周囲には食糧のない子どもたちが食べ残しを待っているのを見ると、何か喉を通らないような気分を感じました。多少分け与えるように工夫しました。

■報告：二月一一日【ジャララバード】

この日はジャララバードのペシャワール会（PMS）を訪れ、所長のゼヤウラホマン医師をはじめ役員の方に明るい笑顔で迎えられました。私は久しぶりにお会いする方もいて、懐かしい想いを馳せながら現状の説明に耳を貸すことにしました。中村哲先生の永眠は職員にとって悲しいだけのエピソードではなく、仕事面においても多大な損失を受けていることがひしひしとわかりました。

所長からは、「我々は地域住民のために働いています、政治とは何の関わりも持たず、与えられた職務を一所懸命に遂行しています。過去にアフガニスタンの政権が一〇回も交代し、当然政策も変わっていきますが、我々の職務には大きな影響はなく、今までやって来たし、今後もこのまま続けることになるでしょう。農業の活動や医療の活動も順調に継続しています」と発言がありました。

私からは、「ペシャワール会の素晴らしい活動に感服しているし、頭の下がる想いであります。長らく継続的にアフガニスタンで活動を続けているさまざまなNGOとして、ペシャワール会もカレーズの会や他のNGOも一所懸命に人を救うことを目的で頑張っています。しかし、今まではお互いを尊重しながらも協力体制や合同での活動はあまりありませんでした。今のように厳しい環境の中では、互いに何らかの形で協力体制を作る必要性があるのではないでしょうか。もちろん各組織が今までやっている活動を、単独でも他の団体との連携の下でも続けることが基本であります。今必要なのは、お互いの技術や経験を共有し、学び合うことが不可欠ではないでしょうか」と返しました。

いろいろと議論をした結果、一人ぼっちよりも仲間と悩みを分かち合うことが大切であると結論付けられました。

ところで日本からペシャワール会の活動現場の視察をお願いし、必要な依頼書や書類も送っていましたが、現地事務所の勘違いがあり、結局、関係者や関連事務所から視察許可が取れていないことが判明しました。タリバン政権に代わってから、外国人の視察や地方訪問には必要な手続きが大変煩雑になり、全てが許可制になっています。外国人の安全を確保するとともに、事情の把握と管理も目的としているようです。

昼食後、ナングラハール州の経済管理局長の事務所を訪問し、直接視察許可をお願いしました。

ブルカを被らないで外出する女性

局長からは、ナングラハール州における支援を今後も拡大してもらいたいとの依頼があり、さらに「建設中の感染症病院が未完成のまま海外からの支援が途切れていて大変に迷惑している。日本は常にお返しを求めない、無条件で援助をしてくださる唯一の国でありますので、是非ともその完成までご支援をいただきたい。皆さんには是非とも病院の現状を自分の目で見ていただきたい」と話された後、何とか視察の許可をいただき、さらに護衛隊三名を付けてくださり、ペシャワール会の活動現場に出向くことになりました。

ペシャワール会の職員三名とサビルラさん（NGOのYVO代表）、そして私たち視察チームの四名が一台の車で、護衛隊の車に先導されて出発しました。途中、にぎや

ナカムラ記念庭園の中村先生のモニュメントの前で

かな街を通り、活気のある商店街を歩いている人々の中に、何気なくブルカなどを被らないで歩いている女性の姿に驚きました。このよう風景はジャララバード市内でも見受けられました。タリバン政権下では女性が顔を出して出掛けることは許されないと聞いていた視察メンバーは、驚くとともに安堵しました。

約一時間の走行後、ガンベリ地区に辿り着きました。途中、砂利道が残っているところで職員から、「以前はこの地域全体がこのような砂利だらけで、草一本も生えることはなかった」と聞きました。今では緑豊かな素晴らしい風景が見られます。

中村哲先生のモニュメントが立ち、写真が飾られているナカムラ記念庭園に着き、庭園内の四階建ての塔を見ることになりま

ペシャワール会が耕しているキャベツ畑

した。以前この場を訪ねた時には中村先生に案内されて、塔の最上階で昼食を一緒に食べました。涙が出るほど寂しくなり、全員で中村先生の冥福を祈るように手を合わせました。ご冥福を心からお祈りいたします。

この公園は多くの若者が訪れるようで、お祭りなどの時は狭く感じるほどと職員から聞きました。今後はモニュメントの周囲に残されている畑を公園にするようです。周囲に緑と赤のキャベツの畑が広がって、緑豊かな雰囲気は過去のナングラハール州で見た光景を思い出しました。

今日も若者がここを訪れている、女性の姿も方々で見られます。

帰り道に、ペシャワール会が開発の中心

としているクナル川のほとりを走りながら、懐かしい中村先生のお話や思い出を語りました。ベスード地区を通りかかると大きな建物が視野に入ってきました。ペシャワール会の建設したトレーニング・センターです。中村先生が最後にここで講義していた写真が飾られ、当時のご活躍の一面がうかがえます。

各ＮＧＯが連携して、たがいに持っている技術を交換することが今後のアフガニスタン支援活動で重要な課題であることをベースにして、「このトレーニング・センターを積極的に利用して、自分たちの得意な分野でトレーニングすることが可能ではないでしょうか。中村先生が永眠してから、その後一回もこのセンターが使われていないことはもったいないことです。相互理解、総合利用そしておたがいの経験したノウハウを受け継ぐことは、今一番必要で不可欠なことではないでしょうか」と私が尋ねました。

ゼヤウラホマン医師は「確かに有意義な手段だと思いますが、予算の限界があるので積極的に肯定的な答えは出ないと思います」と返してきました。

私は「トレーニング・センターがあって、宿舎まで備えているので、必要なお金は教師の賃金ぐらいでしょう。それは各ＮＧＯのベテラン専門家が無料で行えばよい。交通費は各ＮＧＯが負担し、その他の費用は合同で分散しても良いのでは……」と、再び返しました。

ゼヤウラホマン医師は「言われればその通りですので、前向きに考えておきます」と返事をしてくれました。

その夜はサビルラさんの自宅で美味しいアフガニスタン料理を楽しみました。清末さんがサビルラさんの子どもたちや、お客さんに折り鶴を作って見せて、皆が興味をもって次々と加わりました。

■報告：二月一二日【ジャラランバード〜カーブル】

翌一二日には、日本国際ボランティアセンター（JVC）のジャラランバード事務所の活動を引き継いだYVOの事務所を訪ねました。このNGOの代表はサビルラさんで、二一名のスタッフが主に一〇歳以下の子どもの教育と栄養支援の活動を行っています。驚いたことに、トーラボーラ地区で高学年の女性の教室が一〇か所も運営されているとのことでした。ボランティアを中心に平和教育を三センターで行い、孤児の対応にも力を入れていると説明がありました。この活動を日本では小野山亮さんが代表理事の「平和村ユナイテッド」が経済的に支援しているとのことです。

YVOのメンバーから、女性の権利が制限されていることで、病院等で勤務している方々の精神的なストレスが日に日に増して、何らかの対応や支援を必要としていることが強調されました。

そして私たちが提案しているNGO間の協調と統一した方向性を担うことに、サビルラさんをはじめ他の職員も大いに賛成し、参加しているACBARの本部にも提案する用意があると表明されました。

その後、ジャラランバードを出発し、カーブル川のほとりを走りながらカーブル市に戻りました。

■報告：二月一三日【カーブル～カンダハール】

昼一二時のフライトでカンダハールに移動する予定で、早めに空港に着いたところ、フライトが夕方の六時まで遅延していることがわかりました。何の連絡もなく、結果的に約八時間空港で待機することになりました。

何とか夜九時近くにカンダハールに到着し、カレーズの会の事務長のダウドさんに迎えられ、カレーズの会のアフガニスタン代表のシェルシャーさん（私の弟）宅を訪ね、大勢の家族や親戚の方々と楽しく、にぎやかな夕食をともにしました。

■報告：二月一四日、一五日【カンダハール】

この日からカンダハールでの活動の開始です。カンダハール州の保健局長を訪問しましたが公務で留守にしていて、副局長に面会してカレーズの会の活動について意見交換しました。方々で提案している日本関連のＮＧＯ間の調整に関して説明し、さらに結核関連事業の課題、内服薬の不足とその対応について意見交換を行いました。猫塚先生の専門の整形外科領域での協力、特に子どもの脊柱側弯などに興味を示され、是非とも協力と支援が依頼されました。

その後、結核対策課を訪れ、結核の現状について説明を受け、年々症例が増加していること、ＭＤＲ（多剤耐性症例）の増加が見られる、職員のトレーニングが極端に減少し、時代の変化について行けないことに対する不安が強調されました。やはり投薬の減少なども課題に上りました。

海外からの資金の送金が制限されて薬剤の購入が困難になっているため、カレーズの会診療所の薬局にはわずかな薬剤しか残っていない

一方でカレーズの会診療所の結核診療、特に診断に関しては、支援してもらい大いに満足していること、今後は耐性菌の診断のために必要な機器を導入してもらって、ますますの診断の充実を図ってほしいと念を押されました。

その後はカレーズの会診療所を訪れ、視察チームのメンバーが職員と挨拶。初対面の猫塚先生と清末さん。私と内堀さんは三年振りの訪問で、職員が興奮して、待ち遠しい表情を見せてくれました。

診療所を視察し、各部署の活動内容に加え、データのグラフが部署ごとに貼ってあることに感心しました。タリバン政権下で女子の診療部に女性の職員が多いことも驚きました。タリバン政権の締め付けの厳しい折でも、女子職員は四人から女医を含め

カレーズの会診療所の光景

て七人に増えていることは評価に値することです。
　ひとりの看護師が久々に内堀さんを見て、懐かしさのためか近くにより、「ツー・ショット」を撮ることを希望し、皆がこの行動にびっくりしていました。
　結核管理室では、データや各患者のフォローアップに視察チームのメンバーが驚きました。特に結核対策室との連携がスムーズで、患者の治療歴が事細かに記入されていて、大いに評価しました。しかし、薬局では薬剤の少なさにびっくりして、「これだけの患者がこの程度の薬剤でどう対応しているのか」と尋ねると、薬剤購入のための金銭的な問題の説明を受けて、いかに職員が厳しい環境に耐えているかが解りました。この現状に視察チームのメンバーは「少ない職員でよくもこれだけの仕事をこなせている」と、ここでも評価の言葉をかけました。

クリニック内で腰痛、頸部や足の痛みを訴える患者が集まり、猫塚先生の診察と処置を受けました。糖尿病による下肢の指の壊死を起している職員は、壊死した組織を除去して、告知されていた「切断」を免れる可能性が出てきて、喜びで涙ぐんでいる姿も見られました。

また、小児期に頭部外傷を受けて成長が止まり、聴力や会話の機能が皆無になっている患者のCT映像で小脳の損傷がわかり、回復不能の状態の患者の診療も、私が行いました。

カンダハールに滞在中は、このような患者との対応や診療が続きました。

クリニックの患者は季節によって、疾患の傾向が変わることは当然でありますが、いまは呼吸器系の感染症が多く見受けられます。また高血圧や心機能障害の患者も少なくありません。

一方で、長年の治安の悪化や経済的な事情による精神障害やうつ状態の患者も多く、その対応として特別に診察室を一室設けて、対応していました。

■報告：二月一六日【カンダハール】

この日の夜にシェルシャーさんの三男・プサルライ君の結婚式が計画されていて、数多くの出席者が集って、開催されました。男性の会場と女性の会場は、アフガニタンの風習によって分けられていて、別々ににぎやかに催されました。

タリバン政権の管理下でも自由な雰囲気で開かれた結婚式

セレモニーの後に、親戚の男性が女性の会場を訪れて、新郎新婦のケーキ・カットや結婚宣言の立ち合いがありました。その間、多くの女性が踊りを披露し、男女のダンスもあり、夜遅くまで続いていました。

タリバン政権の厳しい管理の下で、ここまでに男女がともに披露する場があるとは思っていませんでした。驚くほど自由な雰囲気でした。生演奏は控えていましたが、行事や楽しみ方は以前と全く変化は見られませんでした。

■**報告：二月一七日【カンダハール】**

一七日の金曜日は休日で、視察チーム・メンバーとクリニックの職員数名とで郊外に出かけて、観光と田舎の広場での食事を楽しみました。ここにも多くの観光客が集まり、に

カンダハール市内のアハマドシャー国王廟

ぎやかに振舞っていました。アフガニスタン人独特の解放感を味わう雰囲気を表現していたと思います。

■報告：二月一八日【カンダハール】

この日は、ハジ・アゼィズ地区のハジ・ニカ学校の視察です。この学校はカレーズの会が日本大使館の無償資金を利用して建設し、その後も支援をしています。訪問すると、午前中は女子の部の授業が行われていたので、二、三の教室を視察し、生徒の緊張した顔を見ることができました。

白板には数学の問題が書かれていて、一人ずつ立ち上がり問題を解いていました。生徒に将来は何になりたいかと聞くと、医者が多く、学校の先生がその次でした。

ある教室で教師から、生徒たちのノートとペンが足りずに、勉強がはかどらないことがあると説明を受けました。これに対して視察チーム内で、生徒たちの要望に応えるために何かできることが

テントの教室で生徒たちにノートをプレゼントする筆者（撮影：内堀タケシ）

あるのではないかと話し合い、翌日にはノート二四〇〇冊、ボールペン二〇〇〇本をメンバーで費用を割り勘で購入して、学校に届けました。
　校長がお礼の言葉もないと言い、生徒たちの驚いた顔が印象的でした。私たちが期待した通り生徒たちに笑顔が戻り、その笑顔に私たちも久しぶりに笑顔を取り戻すことができました。
　教師の方々も厳しい経済状況の中で業務を強いられていることから、何か喜ぶことも必要ではないかと思い、手提げカバンを提供しました。
　当初は生徒四八〇人用で建てられたハジ・ニカ学校ですが、現在の生徒数は男子生徒一〇三一人、女子生徒五二五人、中学校以上の生徒で登校できない人数は一〇七人でした。

やはり教室が足りず、テントで勉強している生徒もたくさんいました。今までは寒さに耐えて、これからは暑くなっていく中で、テント生活や授業はかなり厳しいだろうと想像ができます。

校長からは、教室が足りないことで生徒たちが苦労していると説明がありました。できれば、校舎を増築することが望ましいが、それが不可能なら校舎の後ろに三、四つの部屋を設ければ、職員室、図書室、ラボ（実験室）をそこに移して、少しでも生徒の教室にすることができるとの提案がありました。地元で計画、設計、そして工事まで行えばそんなに高価にならないのではないかとも話していました。

この提案の実現のために計画的に進めるように、視察チームからも提案をし、費用に関しては帰国後に検討することにしました。


ハジ・ニカ学校の視察後に、近くの「ヘルス・ポスト」を訪れました。長年にお世話をしていただいている助産師の女性と男性一人が、ボランティアとして活動しています。現在の活動の説明を受けて、皆さんの優しい対応と活力に頭の下がる思いがしました。ちょうど、診療所から子どものワクチン接種を行うモバイル・チームが来ていて、接種の現場を見て、私たちも感動を覚えました。やはりヘルス・ポストの存在と活動は、地域の住民にとって欠かすことのできない支援と励みであります（ヘルス・ポストについては3章一二六ページ参照）。

カレーズの会診療所で診療を待つ人々（奥）

次にアイノメーナ病院を視察しました。副院長の説明によると、二五〇床ある病院では現在五〇床が利用され、上層部の階はコロナ感染対応のために利用されています。タリバン政権発足後、各病院や組織の長としての役割はタリバンの政治家が担うようになり、副の立場で専門家の医師が役割を果たすことになっているとのことです。

カレーズの会診療所に戻って、患者の診療に当たりました。視察メンバーの猫塚先生が整形外科の専門家で、腰痛、ひざの痛みなどの患者が多く受診しました。猫塚先生の診断とリハビリの指導に、多くの患者が満足していました。

■報告：二月一九日【カンダハール】

市内で最近、最高の医療機器とスタッフを有する新しい私立病院が設立され、三日前には開心術が執り行われたと聞きました。このモマンド病院を視察することになり、院長に病院全体の説明を受け、手術室の中まで案内していただきました。手術室とリカバリー・ルームのすべてのベッドが酸素投与、吸引処置やモニターを有し、途上国では考えられないほどに整備されていました。

勤務している医師の多くは海外で教育や研修を受けたアフガニスタン人で、習慣や言葉においても十分に理解し合えるのが患者にとっては心強いことであります。しかし、私立病院であるので医療費がかさむことは確かです。理事長は、金銭的に恵まれない患者には配慮していると言っておりました。

この病院の薬剤のストックは膨大なものがあり、製薬工場を運営しているようです。この機会を利用して、カレーズの会の経済的な事情による薬品不足を説明して、薬剤支援のお願いをしました。一応、前向きに検討してくださることを約束していただきました。

カレーズの会診療所に戻り、患者の対応に当たりました。猫塚先生は整形外科、私は他の疾患の対応をしました。

腹痛を主訴として来院し、超音波の検査で下腹部に腫瘤が見られた所見で悩んでいる患者の対応に困っている医師や看護師に依頼され、再度の検査で子宮筋腫か卵巣嚢腫の可能性があることを指摘して、ミルワイス県立病院に紹介しました。またアレルギー性疾患の症例も多く、特に若年層に多く見られます。薬剤の処方や刺激物の摂取の制限などの対応で様子を見ることを指示しました。

職員の全体会議では、種々の課題が話し合われました。多くの職員から物価高による経済的に困難な状況の中で、職員の給与が数年も上がっていないことに不満が表明され、何らかの対策を考えていただきたいとの要望がありました。薬剤不足は患者の治療に及ぼす影響が大きく、これも何らかの対応をしていただきたい。

その他に最近職員のトレーニングの機会が少なく、充分な知識の取得や再教育の場が少ないこと。夜勤の医師がいないことは行政からも指摘され、実際に緊急対応が困難であることもあり、対策を考えていただきたい。

私からは、ロシアのウクライナ侵攻や情勢によって多くの関心がそちらに向けられ、日本におけるカレーズの会の会員が不足しており、収入減に繋がっていることも確かです。しかし、皆さんが一所懸命に頑張っていただいていることも十分に理解できますので、帰国後に理事会でこの課題を審議し、結論を出したいと思います、と返事をしました。

その後、学校保健室のチームと会議を持ちました。ハジ・ニカ学校では、実際に出席している生徒の数は学校が発表している数より少なく、また教員や職員の衛生教育や指導も不可欠であることが強調されました。

全体の調査では、疑われた感染患者の数は多く、実際に診断された者は少なかったことも判明しました。例えば、結核を疑われた症例は九〇人、実際に排菌していたのは子どもが一例のみでありました。このような数字の誤りは学校保健室チームに医療関係者がいないことが一つの誘因であると思われました。随時クリニックの医療スタッフと連携を取ること、必要に応じて調査時に医療スタッフも参加することを勧めました。そして、実際の活動目的や実施計画の練り直しが必要不可欠であると説明しました。

学校保健室チームの職員からは良い指摘で、他の職員との連携などに関しても今後は積極的に試みたいと発言がありました。このような機会に、職員と訪問している私たちが対話をすることは有意義であると改めて感じました。

コロナ感染拡大のために、私がアフガニスタンを訪れるのは三年ぶりです。過去には、毎年職員の中からその年の最も頑張った人、実績を上げた人を表彰することを行っておりました。今年も久しぶりに職員の推薦でタージュ・モハマッド・ターベさん（ヘルス・ポスト指導員）を表彰し、金一封を添えることで、職員の励ましの一因になることを期待しています。

その後に職員全員の集合写真を撮影し、友情と信頼関係を深めることができました。しかし、その直後にタリバンの監視官がクリニックを訪ねてきて、「なぜ男女がいっしょに写真撮影を行っているのか」と上層部の責任者が叱られていました。女性の顔の漏出や男女のふれあいは禁じられることが、やはりタリバン政権の中で強いことを自覚しました。

明日の二〇日に、カーブルに移動を予定していましたので、ここで職員全員と最後の挨拶を交わしました。しかし、夜に翌日のカーブル行きの飛行機がキャンセルされたことを知り、対応に追われることになりました。

■報告：二月二〇日【カンダハール】

カーブルに移動できないこの日を利用して、バザールの見学とアフガニスタンのお土産を買うことにしました。

その後に再度クリニックを訪れると、どこからか知らないが私たちの移動のキャンセルの噂が広がっていて、診察を待つ患者があふれていました。再び職員にも会え、皆が喜んでくれていることに視察チームのメンバーが親しみをもって挨拶し、再度の別れはよりつらいものになりました。

■報告：二月二一日【カンダハール～カーブル～イスタンブール】

この日は視察の実質的な最終日となります。早朝にカンダハール国際空港に向かい、カーブルに移動しました。到着後、以前から面談の依頼がありました国連人口基金（ＵＮＦＰＡ）の事務所を訪問しました。

二〇二二年、日本国内のＵＮＦＰＡの当時事務所長を務めていた佐藤摩利子さんから、カレーズの会の活動を評価し、合同で実施するプログラムを検討したい旨の申し出がありました。ZOOM会議でアフガニスタン国内のUNFPA事務所所長ともお話をし、現地事務所の訪問とそこでの協議を約束していました。今回の視察の機会に、直接会って現場での活動内容や協力する項目、そして実際に互いの活動の条件や状況の確認と、その可能性を探ることが必要でした。

会議には所長をはじめ、医師三名が出席し、オンラインでジャクリーン医師とカンダハール担当のハーリム医師が参加していました。所長からは普段の活動内容の説明があり、家族計画と母親の健康管理を主体に、より優しく、より丁寧に対応することをめざしている。そのためには助産師の教育と、地方での活動の環境作りが必要であるとの説明を受けました。

基本的にはモバイル・システム（移動式）を主体とした活動になります。このポイントからするとカレーズの会のカンダハールでの活動はまさにこのような条件に合致しているので、ともに協力体制を作り、合同で継続的な活動を行いたいとの申し出がありました。特に、カレーズの会で行っているヘルス・ポストの活動がこの目的に合致しているようです。

私としては素晴らしい発想と活動の内容ですが、カレーズの会の規模からするとすべてを引き受けるのは多少無理があるかもしれませんと答えました。理由は現地職員の人数が限られていること、日常の業務に追われているために、その上仕事を増やすことには負担の増加を招くことを説明しました。もちろんともに活動をすることや協力することには賛成ですが、この内容を現地事務所やスタッフと話し合ってもらいたいと申し上げ、私からも彼らに説明をし、可能性について相談をすると申し上げました。

ＵＮＦＰＡのチームからは、経済的に負担はかけたくないので、当方から雇い上げたスタッフを使ってこのプランを実行することも可能である、との提案がありました。双方で今後も検討し、対話を持つように計画的に進めることになりました。

まだ協議が続く雰囲気でありましたが、私たちのイスタンブール経由の便がカーブル空港から出発する時間が迫ってきたので、協議を終了し、慌てて空港に向かうことになりました。

また出国を前に、在アフガニスタン日本大使館の岡田隆大使には、以下のような今回の視察で得た情報と協議の結果の報告及びお願いをしました。

《日本政府やＪＩＣＡの支援や活動が制限されていることによって多くの悪影響が出ていること、関係者のスタッフや官僚（保健大臣など）が、日本の支援や援助の早期再開を大いに期待している点を伝えてほしいと依頼されたこと。

結核対策の支援、薬剤提供、種々の分野でのトレーニングの欠如についての報告をしました。日本が建築や機器提供を行ったＡＦＧＨＡＮ－ＪＡＰＡＮ感染症病院では、その後のフォローと機器類のメンテナンスが滞っていることから、日常業務に不備が生じているので、指導や支援をお願いします。日本国内や現地でのトレーニングが不足していることで、職員の知識レベルと意欲の低下の誘因となっています。早急に何らかの対策が必要な状態であります。

また今回の視察で私が各ＮＧＯに強調しているのは、日本関連のＮＧＯの連携と協力が必要不可欠であり、それをさらに深め、お互いのノウハウをシェアし、それぞれの得意な分野での技術のトレーニングを行うこと。これは活動している地域のみならず、他県や地方にその活動を広げること。このような活動に対して、タリバン政権に協力できない日本政府がＮＧＯに支援を行うことを提案します。》

■帰国の途：二月二二日、二三日【イスタンブール～羽田】

やはりここでも出発が数時間延期され、さらに予定外のイランのマシャハドに立ち寄るエピソードもあって、結果的に六時間遅れてイスタンブール空港に到着しました。イスタンブール市内で一泊宿泊する予定で予約していたホテルには数時間休むだけで、夜の羽田空港への便に乗り継ぐことになりました。

視察チームのメンバーにとっては、忙しく、厳しい旅であったと思いますが、「本当にお疲れさまでした」と皆に言いたい気持ちで、飛行機の長旅に挑戦することになりました。

❖アフガニスタンの政治的、社会的な現状

アフガニスタンはタリバン政権に代わってから秩序や治安は安定しているものの、女子の教育の制限や外出時のブルカで身体を覆う風習の義務化など、厳しい指令が出ていることが国際社会では問題視されています。私たちの今回の視察では、方々で厳しい監視はされているものの、それが安全を保つ手段となっているようで、ほぼ自由にどこへも行ける環境が整っていて、安全に移動が可能なように感じました。

食糧不足の問題は収入減による影響に加えて、長期的な干ばつや国際支援の停止の悪条件によるものが多いように思います。町の中では子どもたちの物乞いは目立ちますが、カンダハールで聞いた話では、タリバンがその子どもたちに食糧券を渡して、食べ物を提供しているようです。しかし、その食糧券は何日分であるのかは確認できていません。

女性の外出制限に関しては、私たちが訪問した各都市では、スカーフを被っている姿で街を歩き回る女性が多く見られ、むしろブルカを被っている姿がまれであるように思いました。

経済面では、確かに銀行から資金の提供や支払いは制限されていて、一般住民の生活に悪影響を及ぼしていることが多いようです。一方で、輸入や輸出の税金が安くなることでその流れを増加させているとの指摘が多く聞かれました。最近、カンダハール州において新たに開設されている製薬工場が数か所存在し、その許可は簡素化されていると思われます。

またNGOの活動に対する制限はなく、むしろ経費の明確化、資金繰りの報告システムが敷かれていることが、管理の充実に繋がっているようです。

前政権の運営や海外からの資金提供において、役員の横領や賄賂が盛んに行われたことが罰せられ、それが功を奏しています。カレーズの会の診療所を急に訪れたタリバンの監視団が、夜間の医師の採用を促すとともに、職員の最低賃金の値上げを指摘したことは、監視というよりはむしろ一般職の立場を理解し、システム化する傾向だと思われ、評価に値するものです。

全般的に国民の生活面や安全面で安心感があるものの、女性の教育の制限や管理の厳しさが苦になっているようです。このような状況の改善には国際社会の積極的な関与、タリバン政権と信頼関係を築くことが不可欠な手段と思われます。特にアフガニスタンの国民やタリバン政権において、信頼の熱い日本の関与は不可欠な要素と思われます。

今まで継続的に行われてきた国際協力機構（ＪＩＣＡ）の医療、教育などのプロジェクトの中断が多くの隔たりを生む結果となっていることから、その再開と拡張がアフガニスタンの人々の人生の上で大きな支援と活力の源になると思われます。

日本政府をはじめ、ＪＩＣＡの皆さまの積極的な支援と関与を大いに期待しています。

2 タリバンの「権力」再掌握

1　ドキュメント 米軍撤退とアフガニスタン

＊この節は日本文化厚生農業協同組合連合会の機関紙「文化連情報」に連載していた記事を整理・再構成して掲載します。

①二〇二一年四月、駐留米軍の完全撤退宣言

❖米駐留軍の無条件完全撤退

米国のバイデン大統領は二〇二一年四月一四日の演説で、「我々はアフガニスタンに侵攻した目的を達成した」として、二〇〇一年の米国同時多発テロから二〇年となる九月一一日までに、アフガニスタン米駐留軍を無条件で完全撤退させると正式に発表しました。

それに付随して、オーストラリア軍やドイツ、イタリアなど北大西洋条約機構（ＮＡＴＯ）軍も

九月までに完全撤退を宣言し、対抗するアフガニスタン人同士にアフガニスタンの運命を手渡すことを決定しました。結果的に、大量の武器や弾薬が残され、憎しみと争いの真っただ中にあるアフガニスタンが、再度テロの温床になってしまうことが予想できました。

米国はトランプ前大統領の時代に、反政府勢力だったタリバンと積極的な話し合いを進めました。そのため二〇二〇年のはじめから、アフガニスタンでのアメリカの史上最も長い戦争が終わるのではないかとの希望が、アフガニスタン国民の心に強まったと思います。二〇二〇年二月二九日にアメリカがタリバンと和平合意を結んで、アフガニスタンからの撤退を決定したことは、アフガニスタン国民にとっては「タリバンの勝利」を意味しました。

二〇二一年四月までに完全な撤退を行う代わりに、タリバン勢力はアフガニスタン政府と和平プロセスの話し合いを行う約束をしました。しかしその後、交渉のために有利な状況を作ることを狙って、アフガニスタン国内でタリバンが攻勢を強め、各地でテロや殺戮を継続しました。自爆テロや銃攻撃のみならず、ドローンを利用した空からの攻撃を盛んに行うようになりました。

これにより多くの一般市民、政府軍関係者が犠牲になっています。この数年間、アフガニスタン国内では一般市民の犠牲者が年々増加し、二〇一九年の死者は三四〇九名、負傷者は六九九二名、二〇二〇年には死傷者がさらに増加しました。二〇二一年の第1四半期の犠牲者は、二〇二〇年の同時期と比較して倍増しているとの報告が現地から届いています。

加えてコロナ感染による犠牲者が日々増加しています。ＰＣＲ検査ができる体制が充実していないために、感染者を把握できず、医療体制の崩壊を招いています。また、農業の廃退や海外からの食物の納入停止によって食糧品の物価が二五％も高騰し、一般市民が食糧を手に入れることができない現状が続いています。

他方で、治安や生活基盤の破壊によって地元で暮らせない人も多く、国内や隣国に避難民として助けを求める人数も日に日に増えています。このような生活状況の改善や国の安泰の夢を見るために、アフガニスタン国民が誰を頼りにすればよいのか、さまようばかりです。

治安維持を目的に駐留していた外国軍の撤退によって、この状況はさらに悪化し、国内の犠牲者が何倍にも増えることでしょう。オバマ政権時代の二〇一一年に米軍がイラクから完全撤退した結果、過激派組織の「イスラム国（ＩＳ）」が台頭し、イラク国内のみならず、シリアなどの隣国までをも戦禍に巻き込むことになったのです。

結局、二〇一四年には再度米軍が駐留を余儀なくされ、治安維持へ活動を始めることになりました。

❖国際会議の再開を

国際情勢の変化、競争力の激化が米国にこのような決断を選択させる誘因でもあります。米国はインド太平洋の情勢を憂慮し、中国の台頭と優勢な状況に対して何らかの手段が必要と考えて、競争力を強化し、中国への対抗に軸足を移す必要があると考えています。

二〇二一年四月に、菅総理大臣がワシントンを訪問して行われた日米首脳会談でも、対中国の結束を申し合わせて発表しました。そうしたことが理解できないわけでもないですが、そのためにアフガニスタンの国民や治安を犠牲にすることは許されることでしょうか。

アフガニスタンの情勢や和平プロセスは中東の多くの国々から憂慮され、ヨーロッパの国々もアフガニスタンの治安と生活基盤のことを心配しています。治安状況や生活基盤の崩壊によって、多くの難民が隣国のみならず、ヨーロッパの国々に移動することになるのです。

当然その全員を受け入れることは、どんな国であっても不可能です。アフガニスタンはやはり自力で平和を維持し、国民を養う力を保持していなければなりません。しかし、永年の戦火で優秀な指導者が不在となり、経済力や防衛力でも海外の国々に頼らざるを得ない状況になったアフガニスタンでは、解決する方法や手段がないのが現状です。

二〇二一年四月二四日にはトルコ政府や国連主催で、トルコのイスタンブール市内でアフガニスタンの和平を目指す国際会議が開かれることになりました。この会議には、トルコをはじめ、米国、ドイツ、ロシアに加えて日本政府代表も参加する予定でした。しかし、この会議にタリバン勢力の代表が参加しないことになり、直前で延期になりました。


（文化連情報二〇二一年六月号）

②再度テロの温床になるのか

❖米軍のアフガニスタン撤退の連鎖

アフガニスタンでの対テロ作戦の終了がバイデン大統領から宣言されました。しかし、この二〇年間に米軍の死者二三一二名、負傷者二万六六名、アフガニスタンの一般市民の犠牲者（死者）は四万七六二九名を数えることになりました。

次の計画や作戦を練ることなく米軍が撤退を始めると、タリバンをはじめイスラム国（ＩＳ）は国内の各地で攻撃や略奪をはじめ、多くの市民が犠牲となり、再度避難民の増加を招くことになりました。

アフガニスタン国内メディアは、タリバンと政府軍による戦闘が毎日のように全国の各地で発生していることを報道していました。六月に入ってからの戦闘は一段と激しく、毎日数百人が死亡していたとも言われており、特に多くの学校や政府庁舎、送電鉄塔が破壊され、せっかく整備されかけたインフラが危険にさらされていました。

居住地からの避難者は二〇二一年七月一一日の時点で二七万人を数え、その後の一〇日間でさらに一一万人が安全なところに避難せざるを得ない状況になりました。

地方の市町村では、治安の悪化に伴って多くの医療施設の崩壊や閉鎖が引き起こされました。東部地域では一万二〇〇〇人の食糧調達が困難になり、その内、約一六〇〇〇人にあたる五歳以下の子どもたちが、栄養不良状況に陥っていることも分かりました。

アフガニスタンの北部のバグラン州では地雷除去に携わっていたNGO〝ヘイロー・トラスト〟宿舎が武装集団に襲われ、一〇名が射殺され、一二名が負傷しました。また、クンドゥズ州では、政府軍と武装勢力（タリバンやIS）との戦闘によって一万二〇〇〇世帯以上が家を失い、路頭に迷っています。

南部のアフガニスタンの第二都市カンダハール州・カンダハール市は、過去にタリバンの首都ともいわれていた要所です。その周辺ではタリバン勢力が集中的に攻撃を加え、村々のほとんどを制圧し、政府軍との戦いで多くの一般市民が犠牲となりました。多くの住民は避難しています。

七月五日からカンダハール市内の西部と南部の地域で、タリバン戦闘員とアフガニスタン軍の激しい戦闘が始まりました。これら地区の一般住民に不安が高まり、老人、子ども、女性が安全な場所に逃げ始めました。

カンダハール市では三週間以上も停電が続いており、携帯電話も夜の一〇時から朝五時までは使用禁止で、夜一〇時から翌朝四時までの外出禁止令も発出されていました。

残念なことに、これらは国際メディアで報道されませんでした。そしてアフガニスタンの人々は、この二〇年間にわたるアフガニスタン戦争の事実やアフガニスタン社会に与えた打撃を示す統計及び情報の多くを信じることができず、それらは今も隠し続けられています。

夏の時期、この地域の気温は四〇度に達することから、テント生活では多くの熱中症患者が発生します。とくに小児の犠牲者が数えきれない現状は哀れでしかたがありません。国内や国際援助を届けるすべがなく、死を待つほかないのが現状かと思われます。

アメリカや多国籍軍は常に、アフガニスタン国民のためにアフガニスタンをより良い場所にしようとしているのだと主張していました。しかし、とくに地方に住む多くのアフガニスタン人はこの主張を信頼せず、軽蔑していました。残念なことに多国籍軍の駐留部隊は、アフガニスタンで人々の人権を踏みにじり、精神的に打撃を与えました。多くの家庭が悲しみをもたらした戦争、自分たちの人生を狂わせた戦争を経験していました。

❖米軍の完全撤退後に残された難題

AP通信の二〇二一年七月九日のニュースによると、タリバン勢力が支配地域を全土の八五％まで拡大し、政府への軍事的な圧力を強め、空からの米軍の援護を失った政府軍の劣勢が伝えられました。北部の戦闘で劣勢になった一二〇〇名の政府軍が武器を捨て、隣国のタジキスタンに逃亡したことも話題になっています。

このような状況からインド、パキスタンなどの隣国の領事館の職員、赤十字などの国際団体の職員は、早々に退避することにしました。

新型コロナウイルス感染拡大の最中での医療の崩壊は、感染拡大に拍車をかけることになります。

実際に、アフガニスタンの七月一日時点での感染者は六一万二一一二名（医療従事者三・五六％）、死者は四九六二名（医療従事者一・八五％）となっています。

ただし、アフガニスタンの地方においては、ＰＣＲ検査のできる施設が限られているため、この数値は全国の実態を明白に示してはいないと思われます。

七月二〇日はイスラム教の大祭（エイド・ドーハ）にあたり、多くのイスラム教徒は恵まれない人々に恵みを分け与える習慣があります。この大祭にちなんでタリバンが政府軍と一定期間の停戦を設けることを提案し、和平のための協議を行うことで合意を模索しました。

しかし、この機会を利用して周辺の多くの国々が、この地域に安全、経済、政治的な影響力を持とうと動き出しました。中央アジアの勢力圏を事実上掌握しているロシアは、国境付近に数千人の軍隊を派遣し、駐留させることにしました。ロシアに加え中国も、アフガニスタンが再度テロの温床になることの影響を懸念し、積極的な仲介を申し出ています。

ロシアは、タジキスタン、ウズベキスタン、キルギスなどに対する過激なイスラムの教えの拡大を恐れています。中国は、過激なイスラム教の浸透はウイグル族への伸展に繋がるとして、早期に食い止める必要を感じているようです。当然、安定した後のアフガニスタンに政治などへの影響力を残すことも視野に入れていると思われます。

和平協議の必要性は当然ありますが、そこには信頼できる第三者の存在が不可欠です。その役割は日本国政府にしか果たせないと思います。大いに期待しています。

米軍の完全撤退は、アフガニスタンの自立のための最高の機会ですが、この二〇年間に外国の軍隊が残した大量の武器や弾薬、そして、タリバンやISの反政府組織やほかのテロ集団、さらにはこれまで政治的に利用され植え付けられた宗教的・民族的な恨み、つらみ……。これらの難題を誰が、どう解決するのでしょうか。このままでは、アフガニスタンの平和的で平穏な将来像を想像することは、とうてい無理な話だと思われます。

(文化連情報二〇二一年九月号)

③米軍撤退が生んだ悲劇と現実

❖タリバンによる全土制覇

約二〇年間、アフガニスタンをテロの温床にしないためにと駐留してきた米軍が、〝国益に合わなくなった戦争の継続は拒否する〟といって、アフガニスタンから完全撤退した現実。

誰のための駐留で、誰を守るための戦いであったのか。どれほどアフガニスタン人の将来が安全で、豊かな国と夢見られるように貢献してきたのか、疑問が残るのみです。すべてが、夢物語であり、米国の利益と自己満足のための自己都合の戦いで、アフガニスタンにとっては不幸な二〇年間であったと思わざるをえません。

次のステップとして、アフガニスタン政府の今後の対応やアフガニスタン軍の実力の評価、この国の防衛の段取りなどの具体的な手段や計画は、不確かなまま放置されました。

案の定、七月に入ってタリバンが西部から進軍をはじめ、政府軍が最初にイランからの燃料補給のルートを断たれ、兵糧攻めで外堀を埋められました。タリバンは地方都市を包囲・陥落させ、次第に大都市のヘラート市やガズニ市、そして第二の都市のカンダハールも陥落するに至りました。

劣勢になった政府軍が、米軍に依頼して都市部の周辺で行った空爆で多数の一般市民が犠牲になり、多くの人たちは村々から避難せざるを得ませんでした。結果的には、八月一五日に首都のカーブルが戦わずして陥落することになりました。米軍に二〇年間も訓練され、三〇万人ともいわれていた政府軍が、タリバンの戦術にもろくもはめられ、何の抵抗もできませんでした。

慶応大学の田中浩一郎教授は、「アフガン政府軍の備えが不十分と言うことは以前から多くの人が知っていました。だが、バイデン政権は『備えができている』と言い続けた。実態を無視した上に、責任をアフガニスタン政府や政府軍になすりつけるやり方はひきょうです」と述べています（毎日新聞二〇二一年九月六日付）。

政府軍は戦わずして逃げたとバイデン政権はカーブル陥落後に主張していますが、これに対して田中教授は、「非常に汚いやり方。多くの人に誤解を与えた。カーブルは大都市。大規模な戦争が起きれば一般市民の被害はけた違いに大きくなる。それを防ぐためには戦わずに、明け渡すしかなかった」と言い、一方では、タリバンの上手な戦術にも注目すべきと主張しています。

タリバンが全土を制覇したことで、国が安泰となることを国民が期待していましたが、そう思う人ばかりではないのも事実です。政府の役職にある人々をはじめ、外国軍やＮＧＯと連携して働いていた多くの人々は、タリバンにひどい仕打ちをされるのではないかと恐怖を覚え、国外をめざして空港に集中するようになりました。

もちろん各国は自国民を優先し、自国の飛行機や米軍機を利用して避難させました。それでも米国民や日本国民、そして退避を希望していた多くの労働者たちがアフガニスタン国内に取り残され、これが後に米国や日本政府に対する非難の的になり、一般の人々の不信感を招くことになりました。

結果的に国外に退避・避難したアフガニスタン人は、一〇万人以上を数えるようになりました。アフガニスタンでは優秀な人材が不足している現実があります。教育され、経験や実技を有する多くの人材が国外に移動することによって、アフガニスタンの政治、国務、運営や管理を執り行う人が皆無になることは容易に想像できます。実際に、タリバンも優秀な人材を国外に移動させてもらっては困るという発表をしています。

❖ 実際に起こってしまったテロ

先に米軍の撤退が、アフガニスタンを再度テロの温床にするのではないかという不安を訴えました。実際、二〇二一年八月二六日にカーブル空港周辺で自爆テロが発生し、一三名の米国軍兵をはじめ、一七〇名のアフガニスタンの一般市民が命を落とすことになりました。

この自爆テロに対してはイスラム国（ＩＳ）が犯行声明を出し、その後の攻撃も辞さないと発表しました。米国政府も、このような事態が起こることを予想し、注意を促していましたが、一般市民にはその対応や対策が思いつくはずもありません。さらにＩＳの自爆テロのために準備された車と勘違いし、米軍の無人攻撃機によって爆破され、罪のない家族一〇名が殺されてしまいました。

アフガニスタン全土がタリバンに制覇されましたが、政治や国の運営を理解しているとはいえないタリバンが、アフガニスタンを今後どう統治するのかは大きな疑問が残ります。

米国をはじめとした国際社会が、アフガニスタンをテロの温床にしないようにと、今まで「制覇」してきました。彼らは、結論が見えないまま結果的にタリバンに全てを任せることになってしまったのですが、新しい平穏な国づくり、国民が安心して暮らせる環境作りには、国際社会にも責任があります。今さらタリバン政権は要らないというわけにもいかないなら、しっかりと支援・指導する責務があります。

アフガニスタン国民のみならず、世界中の人々が継続的関与や政治的・経済的な支援を心待ちにしています。ソ連軍の侵攻から始まり、米軍やＮＡＴＯ軍といった各国の思惑により戦禍の中で永らく生きてきたこのアフガニスタンと国民。そして平和を知らずに大きくなった子どもたちに対する支援です。

満足な食事や教育、医療さえも与えられなかったアフガニスタンの人たちに、平和・平穏、そして将来の夢が見られる環境を与えていただきたいです。

（文化連情報二〇二一年一〇月号）

④悲劇解決には国際社会の対応が不可欠

❖国際社会の一致した対応と支援を

二〇二一年八月にタリバンが権力を掌握し、暫定政権として統治を始めましたが、この間、国連の制裁対象者の入閣や女性の教育や就労が保証されないなどの問題が出てきており、国際社会が圧力をかけて制裁を科しています。

しかし赤十字国際委員会のカンダハール事務所の藪崎拡子副代表は、「現地では空路と陸路の両方で物流が滞っている。食糧や医療物資などが国内に入りにくい状況が続いている」と指摘しています。その上で、「経済混乱で現金が不足したり食糧品が値上がりしたりするなど、現地の人たちの暮らしは厳しさを増している」と強調しています。そして「国際支援なしにはアフガニスタンの人たちは生き延びていくことができない。本当に生きるか死ぬかというようなことに、ここ数週間、数か月でなると思うので、今まで以上に支援が必要だ」と、国際社会に緊急の支援を訴えています。

国連などは深刻な干ばつや新型コロナウイルス感染の影響で、アフガニスタンの人口の三割に当たるおよそ一四〇〇万人が危機的、あるいは緊急の食糧不安を抱えているとしています。

崩壊した政府軍とタリバンとの間に続いた戦闘で、用水路などの農業施設が荒廃し、生活インフラが脆弱となっているほか、干ばつの影響などで食糧危機に見舞われています。国際社会の支援に頼らざるを得ない状況が続いているのです。

カンダハールで医療と教育の分野で活動している認定NPO法人カレーズの会に、政権や行政の責任を負ったタリバンから「市民の健康とお産関連の活動を継続的に行ってもらいたい」との依頼がありました。運営する学校に関しても、近々長い夏休みが終了し、再開できると宣言しています。

ナングラハール州で井戸を建設し清潔な水を市民に提供したり、学校修復して女子児童が学べる環境整備を行ったりしているNPO「JEN」の職員も、ジャララバードが制圧された翌日に、タリバンの責任者から、支援の継続を求める依頼があったことを明らかにしています。その後、スタッフの活動が妨害されたり危険な目にあうことはないということです。

国連の難民高等弁務官のグランディ氏は、「アフガニスタンの人々はこれまでも多く苦難に耐えてきたが、今は限界に追い込まれている」と訴えました。

グテーレス国連事務総長も国際社会に支援の継続を求め、それに応じて各国の代表が合わせて一一億ドル、約一二〇〇億円の拠出を表明しました。しかしタリバン政権への不信感が、その実行と運営に影を落とすことが懸念されます。

一方で中国は、「アフガニスタンの主権を尊重することで、国際社会は国（アフガニスタン）の平和的な再建に貢献できる」と訴えて、タリバン政権に期待をかけています。

アフガニスタンの安定に向けて、国際社会の一致した対応と支援に心から期待しています。

（文化連情報二〇二一年一一月号）

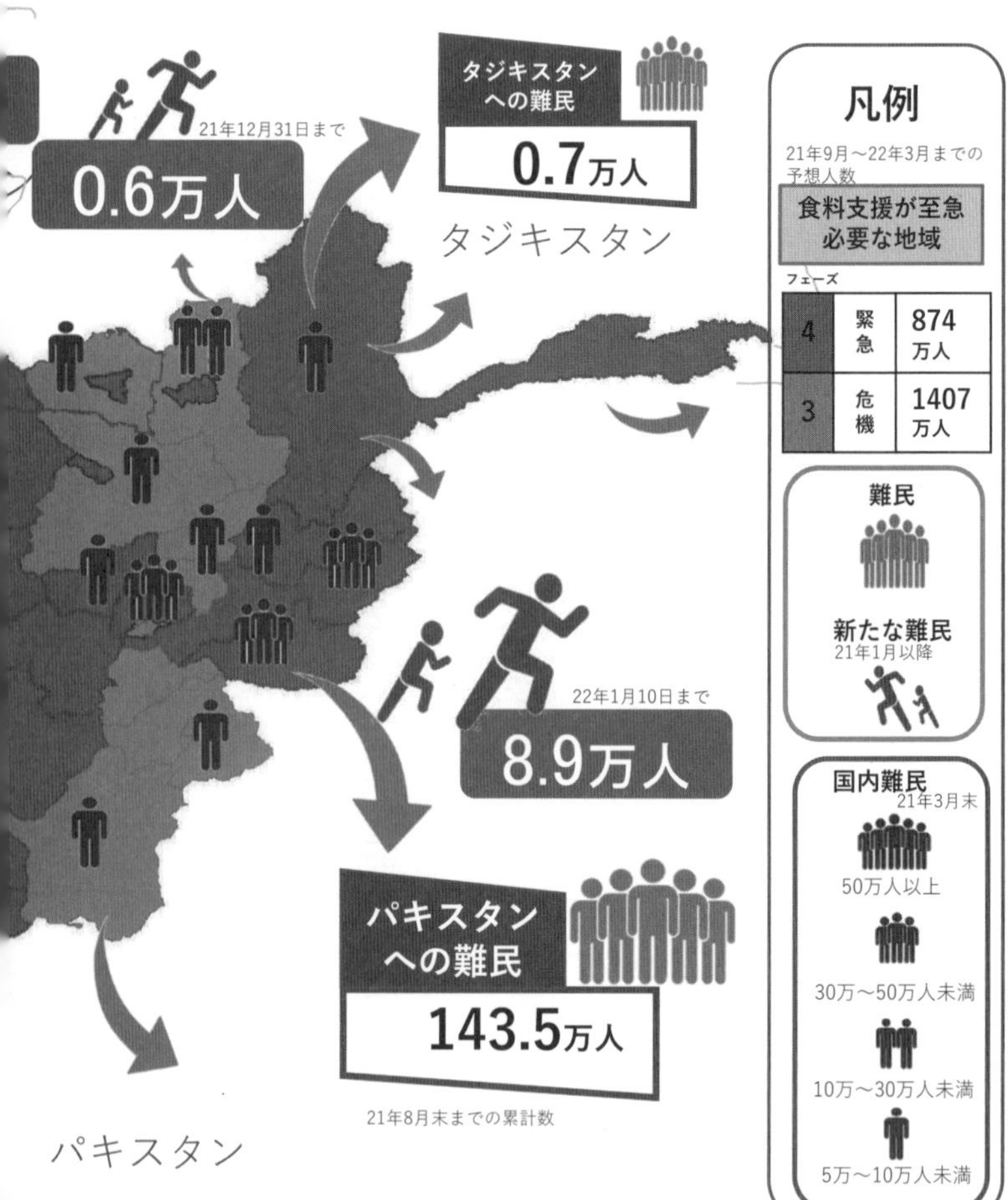

）「Flash Appeal Afghanistan」ほか（OCHA）「Refugee Situation」ほか（UNHCR）

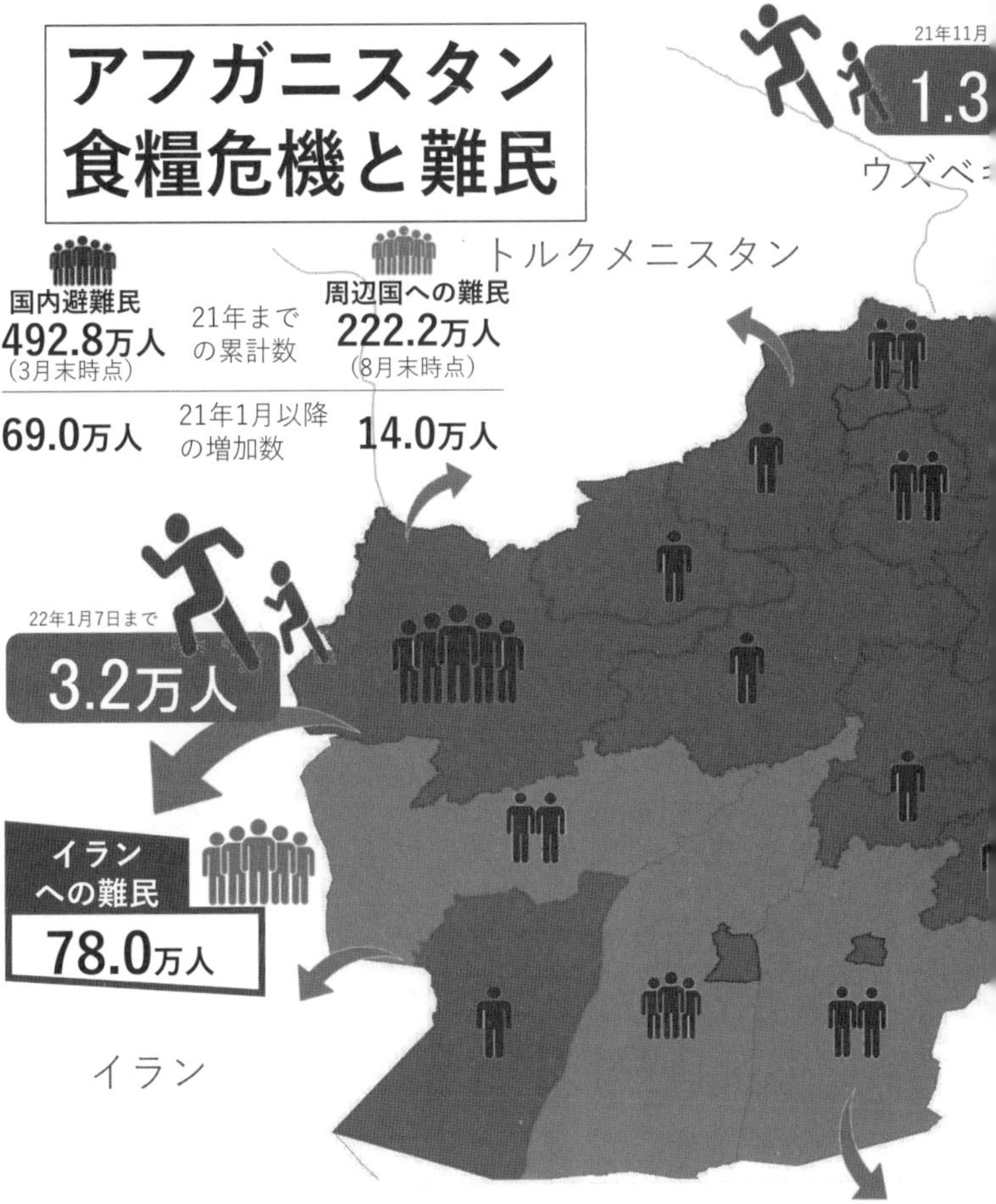

2022年2月6日　中日新聞参考「IPC Afghanistan Acute Food Insecurity Analysis September 2021-March 202

2　アフガニスタンの治安情報

カレーズの会・アフガニスタン事務所所長　**シェルシャー・レシャード**

＊この節はカレーズの会の通信「カレーズ」に掲載されている「シルクロードの交差点・アフガニスタン治安情報」を整理・再構成して転載します。

■二〇二〇年一〇月〜一二月

二〇〇一年一〇月七日の米軍による侵攻以来、紛争が続くアフガニスタンをめぐり、二〇二〇年二月二九日に米国と反政府武装勢力タリバンが和平合意に調印しました。

米国史上で最長の戦争からの脱却を狙うトランプ政権の仲介の下、アフガニスタンの和平プロセスの進展が期待されていましたが、協議は難航し、治安悪化が顕著となっています。米・タリバン合意には、タリバンがアフガニスタン国土を国際テロ組織アルカイダに利用させず、アフガニスタン政府と和平交渉を始めることなどを条件に、米軍のアフガニスタン撤収が盛り込まれました。

アフガニスタン政府とタリバンの直接交渉は、双方が捕虜を解放後に始められることになっていましたが、ガニ・アフガニスタン大統領は米・タリバン合意の翌日、アフガニスタン政府はタリバン捕虜釈放を「約束していない」と反発。このためアフガニスタン政府とタリバンの交渉開始は半年以上遅れ、九月一二日までずれ込んでカタールで始まりました。ガニ大統領は対タリバン強硬派と言われ、米軍撤収によりアフガニスタン国内でタリバンの軍事的プレゼンスが高まるとの危機感もありました。

トランプ米大統領は二〇〇一年以降続く「終わらない戦争の終結」を公約。二〇二〇年一一月の大統領選挙に向けて、外交成果を誇示しようとアフガニスタン撤収を急いでいました。アフガニスタン政府の懸念をよそにタリバンと交渉を重ね、合意を結んだことに加え、タリバンが合意事項を履行する前に次々と撤収を命令。大統領選敗北が確実になった後も、駐留軍を二五〇〇人規模に削減するよう指示しました。

アフガニスタン政府とタリバンとの和平交渉は開始早々、手続き論をめぐり行き詰まりました。米軍削減も重なり、タリバンは政府軍への攻勢を強化し、犯行を主張するテロも頻発しています。

二〇二〇年一一月頃から、ジャーナリストや政治家らの車を爆破する暗殺事件が急増しました。首都カーブルをはじめ、全国で連日、ロケット弾攻撃や爆弾テロの犠牲者も相次いでおり、治安はここ数年で最悪の状態となっています。

米国のハリルザド・アフガニスタン和平担当特別代表は、「暴力抑制と速やかな停戦を呼び掛けました。アフガニスタン政府とタリバンは互いの要求を尊重し、早期に政治合意を結ばなければならない」と双方を強く批判し、バイデン次期大統領もアフガニスタン撤収を望む一方、小規模な対テロ部隊は残す考えを示しています。

アメリカ国防総省は一一月一七日、アフガニスタンとイラクの駐留米軍の規模を大幅に削減すると発表しました。ミラー国防長官代行は、二〇二一年一月一五日までにアフガニスタンとイラクの駐留米軍の規模はそれぞれ二五〇〇人になると語りました。一一月の時点ではアフガニスタンに約四五〇〇人が駐留しています。

このような政治情勢の下、アフガニスタン各地で襲撃、衝突が拡大しています。また、アフガニスタン政府とタリバンの交渉が進展しないことを受け、アフガニスタン国内での影響力拡大を狙う過激派組織イスラミック・ステイト（ＩＳ）もテロや襲撃を起こしています。

首都カーブルにあるカーブル大学で一一月二日に起きた襲撃では、少なくとも二二人が死亡、二二人が負傷しておりＩＳが犯行声明を出しています。

紛争の激化を背景とする痛ましい事故も発生しています。アフガニスタン東部ナンガルハル州ジャララバードの競技場で一〇月二一日、パキスタンへのビザを申請する数千人の群集の一部が折り重なって倒れ、少なくとも女性一一人が圧死、一三人が負傷しました。パキスタン領事館によれば、死亡した女性のほとんどは高齢者だったといいます。

新型コロナウイルス感染症の感染拡大に伴いジャララバードにあるパキスタン領事館は八カ月近く閉鎖されており、その間ビザ発給業務も中断されていました。徐々に首都カーブルの同国大使館ではビザ発給業務を再開しており、事故の前週だけで一万九〇〇〇人にビザを発給しています。アフガニスタンでは、数百万人の市民が戦火と経済的苦境を逃れてパキスタンへ脱出。また、仕事や医療目的で、日常的に両国間を行き来しているようです。

アフガニスタン南西にあるカンダハール州の一部地域では一一月末から治安悪化が顕著となっています。カレーズの会が活動するカンダハール市、そこから西に約一五キロの地域（アルガンダーブ地区、ジャライ地区、パンジュワイ地区、ダンド地区）では、タリバンが仕掛けた数多くの地雷、武装勢力に抵抗する米軍とアフガニスタン軍による激しい空爆など、人々の命が脅かされる事態となっています。

一〇万人以上の住民が家を追われカンダハール市内に避難しました。市内にはテントの難民キャンプが建てられましたが、非常に寒い冬になっており、テント生活は過酷です。具体的な生活支援もなく、数万人がカンダハール市内の親類宅などに移転したと報道されています。

■二〇二一年一月〜四月

二〇二〇年二月二九日、アメリカ政府と反政府武装勢力タリバンが交わした和平合意は四本柱から成り立っています。

①タリバンは、アフガニスタン国土がアルカイダなど、米国とその同盟国の安全を脅かす勢力に利用されないようにする。

②アメリカ及びその同盟国は、二〇二一年四月末までにアフガニスタン駐留軍を完全撤退させることを約束する。

③タリバンを含むアフガニスタン政治勢力は、直接交渉を開始する。

④恒久的・包括的に停戦する。

この和平条約締結から一年が経過し、タリバンとアフガニスタン政府の直接交渉は進展せず、武力衝突も激化する中、アメリカは四月末の撤退期限を迎え、どのように対応するか決断しなければならない状況にあります。アメリカ以外のＮＡＴＯ諸国は、アメリカと共にアフガニスタンに駐留し、アメリカと共にアフガニスタンから撤退するというのが原則です。しかし、一部の国、特にドイツはアフガニスタンに多大な人的かつ政治的資源を投入しており、責任ある撤退をすべきとの立場です。

その後、四月一三日、アメリカのバイデン新政権は米同時テロから二〇年の節目を迎える二〇二一年九月一一日までに、アフガニスタン駐留米軍を完全に撤収する意向を明らかにしました。これにより二〇〇一年から続くアメリカの史上最長の戦争を終わらせるとしています。ただ、米軍撤収後にアフガニスタン情勢が不安定さを増し、再び内戦状態に陥ることでテロ組織の温床となる可能性もあり、今後の進展は不透明です。

トルコ外務省は四月一三日、アフガニスタン政府と反政府勢力タリバン、そして国連代表による和平協議を四月二四日から五月四日の日程で、トルコのイスタンブールで開催すると発表しましたが、タリバンが出席しないために延期することになりました。

アフガニスタン国民は、日本が二〇〇二年一月と二〇一二年七月の二回、アフガニスタンの復興に関する閣僚レベルの「東京会合」を開催したことを記憶しています。今後、アフガニスタンの和平が実現した時、戦後の復興や新生アフガニスタンを支援するために三回目の会合が日本で行われることをアフガニスタン国民は期待します。

■二〇二一年五月～七月

二〇〇一年九月一一日の同時多発テロを機に、二〇〇一年一〇月七日にアフガニスタンではアメリカの激しい空爆が始まりました。アメリカは、その時から続く二〇年にわたる「最長の戦争」を終わらせ、アフガニスタンの治安維持をアフガニスタン政府と軍に任せようとしています。一方でアフガニスタン各地では、外国部隊の撤収と共に、反政府勢力タリバンがその勢力拡大を続けています。

米政府は七月二日、アフガニスタンの首都カーブルの北にあるバグラム空軍基地から、米軍や北大西洋条約機構（NATO）加盟各軍の駐留部隊による撤収が終了したと発表しました。バグラム空軍基地は二〇〇一年一〇月に始まったアフガニスタン空爆以来、反政府勢力タリバンやアルカイダに対する米軍などによる作戦拠点でした。このため、キューバにある米海軍のグアンタナモ基地にならい、「アフガニスタンのグアンタナモ」とも呼ばれました。バグラム空軍基地からの撤収完了によって、六月三〇日の時点ではドイツとイタリアが任務完了を宣言しており、すでに大半の外国部隊は撤収を終えたとみられています。

国内メディアは、タリバンと政府軍とによる戦闘が毎日のようにヘラート、バダクシャン、バグラン、パクティア、タハール、バルフ、ジュズジャン、ヘルマンド、カンダハール、ロズガン、ザーブル、ガズニ、バーミヤンなど各地で発生していることを報道しています。六月に入ってからの戦闘はとりわけ激しく、毎日数百人が死亡したとも言われており、特に多くの学校や政府庁舎、送電鉄塔が破壊され、せっかく整備されかけたインフラが危険にさらされています。タリバンは最近、イラン、タジキスタン、トルクメニスタン、パキスタンとの国境の検問所などを制圧するなど、勢力範囲を広げています。

さらに、アフガニスタン兵一〇〇〇人以上がタリバンとの衝突後、隣国タジキスタンへ逃れる事態も起きました。また、外国の報道によると二〇〇一年一〇月以降、アフガニスタンでは四万七〇〇〇人以上の民間人と七万人近いアフガニスタン兵が死亡したとされています。

一方で、アフガニスタンでの報道では毎日二〇〇人以上の政府、反政府兵士や一般人が死亡していると報道されています。もし、これが本当であれば、二〇年間で約一五〇万人が犠牲になった計算になります。さらに、米兵二四四二人とアメリカの民間警備請負業者が三八〇〇人以上、他の連合軍の兵士も一一四四人が死亡しています。

21世紀のアメリカの戦費を分析するアメリカ・ブラウン大学の『戦費計画』によると、アフガニスタンでアメリカが使った戦費は二兆二六〇〇億ドル（約二五〇兆円）に上ります（この数字には直接的な軍事費に加え、退役軍人への支援等も含みます）。


今、アメリカやNATO軍が部隊の撤収を終えようとするなか、タリバンは急速に支配地域を広げています。タリバンは、「すでに国土の八五％を支配下に収めた」と主張していますが、これを客観的に検証することはできず、アフガニスタン政府は否定しています。アフガニスタンには三四州に約四〇〇の郡が行政地区として定められています。タリバンがこのうちすでに、約三割の郡を制圧したという見方も出ています。

七月五日以降、南部カンダハール市内の西部と南部の地域でタリバン戦闘員とアフガニスタン軍の激しい戦闘が始まりました。これら地区の一般住民に不安が高まり、老人、子ども、女性の多くがより安全な場所に逃げ始めました。カンダハール市では三週間以上も停電が続いており、携帯電話も夜の一〇時から朝の五時までは使用禁止です。昼夜を問わずバイクの走行は禁止で、今では夜一〇時から翌朝四時までの外出禁止令も発出されています。

このような状況下、カレーズの会現地職員のうち、院長のハリム医師やユニセフから派遣されているワクチンサポートチームの女性スタッフ二名が出勤できなくなっています。

■二〇二一年八月〜九月

アフガニスタンへの激しい空爆を開始した二〇〇一年一〇月七日当時、アフガニスタンを支配していたタリバン政権と、米軍や北大西洋条約機構（NATO）加盟国軍からなる多国籍軍は、作戦の実行能力が極端に異なり、両者の戦力は決定的な差がありました。そのため、タリバンはアメリカとNATOの連合軍に抵抗することが出来ませんでした。しかし、その二〜三年後には、アフガニスタン国内の駐留部隊への批判や反発が徐々に高まり、タリバンが軍事的勢いを吹き返す土壌が生まれていきました。

その後、アフガニスタン各地での激しい戦闘が発生し、それは連日報道されました。そして、多くの学校や政府庁舎、送電鉄塔、幹線道路、地方の豊かな畑、カナート（用水路）など、せっかく整備されていたインフラが次々と破壊されました。

ニュースでは毎日のように二〇〇～三〇〇人の老人、子ども、女性、男性などさまざまな年齢のアフガニスタン人たちが負傷・死亡したことが報道されました。犠牲になった人たちの数は、二〇〇一年からの二〇年間で一五〇万人以上に上ると思われます。

さらに、米軍は兵士二四四二人と従軍する民間警備会社などの民間人三八〇〇人以上が死亡し、他の多国籍軍も兵士一一四四人が亡くなったとも言われています。残念なことに、これらは国際メディアで報道されませんでした。そして、アフガニスタンの人々は、この二〇年間にわたるアフガニスタン戦争の事実やアフガニスタン社会に与えた打撃を示す統計及び情報の多くを信じることができず、それらは今も隠し続けられていると私は考えています。


アメリカや多国籍軍は常にアフガニスタン国民のためにアフガニスタンをより良い場所にしようとしているのだと主張していました。しかし地方に住む多くのアフガニスタン人はこの主張を軽蔑していました。残念なことに多国籍軍の駐留部隊はアフガニスタンの人々の人権を踏みにじり、精神的な打撃を与えました。

地方では、多くの家庭が悲しみをもたらした戦争、自分たちの人生を狂わした戦争を経験しています。ほとんどの家庭は、家族の男性四～五人を亡くしたと語っています。生き残った男性は一人だけという家庭も多く、時には全ての男性を亡くしたケースもあります。

それに加え、首都カーブルと地方の大きな都市では、アフガニスタン政府内や外国のNGO、国連機関、国際支援団体等関係者の間で汚職が蔓延していました。アフガニスタン国防軍や多国籍軍、そして軍事施設に関係する人々も例外ではなかったと思われます。こうして、多国籍軍もアフガニスタン政府職員も国民の支持を失っていったのです。

一般的なアフガニスタン人の立場から見ると、今回タリバンが八月一二日～一三日にヘラート州とカンダハール州を制圧、その二日後の八月一五日には誰もの予想を上回るスピードでアフガニスタンの首都カーブルを制圧しました。一方では、戦闘が最小限に抑えられたという意味で幸運であったと感じています。

タリバンは約一一日間でアフガニスタンのほぼ全土を支配下におき、その後直ちにメディアに対し、「私たちは誰にも報復するつもりもない」「誰も私たちを恐れる必要はない」と声明を発表しました。

特に女性の人権についても「イスラム法の範囲内」で尊重するとし、女性の就学や就労も認めると断言しました。アフガニスタン人の常識として、安全が完全に確保されるまで働く女性は家にとどまれと言われるのは当然で、これはあくまでも一時的な措置と捉えられています。

今回、タリバンは驚くほどのスピードでアフガニスタンを制圧しました。アフガニスタン政府軍の多くが無抵抗であったことや、さらにはバイデン政権のみならず全世界がタリバンの急速な成長を予測できていなかったことがあらわになりました。そして、アメリカ側が準備不足の中で逃げ出すように撤退したことは、世界に大きな衝撃を与えました。

タリバンは八月末まではアメリカとの合意を順守し、アメリカ軍の撤退を妨害しませんでした。一方で、逃げるように撤退する米軍は、一九七五年のサイゴン陥落と似ていると言われるような状態で、それはアメリカの敗北をイメージさせます。アフガニスタンを見捨てたとの評価も多数なされています。現在は、タリバンが支配したアフガニスタンと、今後どう付き合っていくのかが、アメリカ政府の行動などが問われています。

撤退作業で混乱するカーブルの国際空港付近では、テロ組織ＩＳによる自爆テロが発生し、アメリカの兵士一三人や英国の兵士二～三人に加え、一七〇人のアフガニスタン人が死亡しました。アメリカは高まるテロのリスクへの対策として、軍の無人機を使いＩＳとされる車両を空爆しました。しかし、実はこの無人機攻撃は誤爆であったことを後に認めることになりました。この攻撃により、子ども七人を含む市民一〇人が死亡しました。このような誤爆事件は、これまでの二〇年間で数百回も発生し、数千人が犠牲になりました。

しかし、米軍が誤爆を謝罪することはなく、国際人権機関もその恐怖を訴えるアフガニスタン人の声に応えることはありませんでした。残念なことに、国際人権規約が力の強い国々を守ると一般のアフガニスタン人は思っています。

これまでの二〇年間で、国際社会はさまざまな支援をアフガニスタンに届けてくださいました。しかし、現在のカンダハール市では五週間以上にわたり停電が続いています。ここ数年で最悪の干ばつにより水力発電のダムが水不足になっているのも影響しています。また、市内の公立診療所もほとんど閉鎖され、市民の健康を守る保健活動はゼロの水準まで低下しています。十分な食事が与えられず、栄養面で大変に悲惨な状況下で生きる大勢の子どもたちがいます。また学校は戦闘基地として使用され、子どもたちが教育を受ける場所の多くは奪われています。

■二〇二一年一〇月〜一二月

現在の重要な事柄として、アフガニスタンでは今、深刻な食糧不足によって多くの子どもたちの餓死が出ていること、また医療品が不足していることが挙げられます。アフガニスタン国民の生活がさらに危機に瀕していると、多くのメディアが報道しています。残念ながら、アメリカはもちろん、国際社会も窮状にあえぐアフガニスタンを放置し続けているのが実情です。

最近の厳しい食糧事情には二面性があります。食糧自体がない、または市場に出回っている食糧が高騰しているという問題が一つ。もう一つは全国的にお金が出回っていない、または人々の手元に現金がないという問題です。

そのため人々は、食糧を買いたくても買えないのです。その結果、アフガニスタンの都市や地方で数百人の子どもたちが餓死しています。今では、子どもたちを育てられないからと、親が命を守るために自分の子どもを裕福な家庭に数千アフガニで引き渡して育ててもらうという、一見して人身売買のような行為も報道されるようになりました。これも、アフガニスタン全体の食糧事情が大変に厳しい状況にあることが原因です。

さらに現在のアフガニスタン問題をより広い範囲で検討すると、四〇年間の戦争が国の資源を枯らしてしまった点が挙げられます。アフガニスタン社会の現状は、農業や工業における人的資源や経済的資源が不足しています。全国の治安情勢がタリバン復権後に戦闘が収束した今のように安定した方向で続くならば、天然資源の保護と開発を両立しつつ、経済を発展させるために、日本を始めとする国際社会の協力が必要となります。アフガニスタンの安全と安心は、アジア地域、特に南アジアの平和に不可欠です。

地方でも都市部でも戦争状態であった以前に比べて安全になっていますが、食糧不足の問題が、寒い冬の期間に人々の命を脅かす最も高いリスク要因になっています。今回、中国やアラブ諸国、インド、ロシアや近隣国からある程度の食糧が提供されています。その一方で、国際社会はアフガニスタンへの資金援助がタリバン政権に渡らないよう、直接に地方で調達したり、人々に配布したりする方法を取っています。

しかしその時にアフガニスタン国民が心配しているのは、タリバン復権前にも言われていたように、資金援助の多くが国連職員の給与や交通費・宿泊費に費やされてしまうのではないかということです。国際社会を構成する各国が現地に入り、アフガニスタン国民を支援しようとする動きがなかなか見えてきません。資金をどう使えば良いのか。物を買うよりも、アフガニスタン社会にとって、ずっと長く残る施設や整備が必要です。

■二〇二二年一月〜四月

最近のカンダハール市の治安は落ち着いた状況にありますが、交通事故が多発し、亡くなる方やケガをする人が多くなっています。またヘルマンド州とカンダハール州の保健局の発表として、ふたつの州内では栄養不良と診断される子どもたちの数が増加していると報道されています。

タリバンが復権したアフガニスタンでは、ジャーナリストや国内メディアに対する制限が強まり、現状を伝えようとする彼らの仕事は少なくなりました。さらにはタリバンによってＢＢＣやＶＯＡ（Ｖｏｉｃｅ ｏｆ Ａｍｅｒｉｃａ）のアフガニスタン国内でのテレビ放送が禁止されています。

西部のヘラート州では、隣国イランで発生したアフガニスタン人シーア派聖職者ふたりの殺害テロ事件に抗議する数十人の人々が、イラン・イスラム共和国の在ヘラート領事館前に集まり、防犯カメラを破壊したり、通用門前でタイヤを燃やすなどの抗議行動を起こしました。

首都カーブルでも在アフガニスタンのイラン大使館前で抗議活動が発生しました。これらの事件に対してイラン外務省は、アフガニスタンに駐在するイラン代表団領事部の活動を次の通達があるまで一時中断すると発表しました。

パキスタンとも東部や南部の国境地域で緊張が高まっており、タリバン暫定政権の外交は難しい対応を迫られています。

外交については二つのニュースがあります。一つはケシ栽培と輸出に関するものです。暫定政権は三月末にアフガニスタン全国でケシ栽培と貿易を禁止しました。

もう一つはロシアのウクライナ侵攻に関連して、ロシアは支持国を少しでも増やそうとタリバン暫定政権を正式なアフガニスタン政府として承認するために、まずロシアから石油と食糧を購入する貿易協定をまとめようとしています。

女子生徒への教育問題について、アフガニスタンのイスラム教学識者（ウラマー）やイスラム法学者協会は、暫定政権に対して、「すべての女子生徒のために学校を再開することと、少女たちが学習を受けるための環境を提供すること」を求めました。文部省当局によると、全国の公立学校には五〇〇〇人の女性教員が必要で、この人数を確保するには一、二年かかるとしています。

またアフガニスタン私立大学連合は、新しく入学した学生の数が半分近くに減少したと発表しました。さまざまな理由が考えられますが、一つには経済問題があると思われます。保護者が学費を払えない、本人が仕事をしながら学んでいたが失業したなどが原因だと考えられます。
四月はじめにはカーブルのサライ・シャフザダ両替所とプリ・キシティモスクで手榴弾を使った爆発が発生し、一〇人以上が負傷しました。四月はじめから五月の断食（ラマダン）の一か月の間に、北部やカーブルのモスクで、爆弾によるテロが発生し、多くの犠牲者を出しています。

今、アフガニスタンではこのような混乱した状況が各地で発生しています。アフガニスタンの人々が平和な社会を目指すために、国際社会がアフガニスタンへの支援を継続してくださることを心から願っています。また、現地の貧困地域で国外からの緊急人道支援が行われるようにお願いいたします。

アフガニスタン国を長く安定させるためには、地方を豊かにすることが原点であります。人々は平和に暮らすことを望み、一日でも早く安定したアフガニスタンで医療、教育や農業など、人々が必要としている支援活動が適切に実施されるような環境が整うことを、切に望んでいます。

■二〇二二年五月～六月

五月に国連開発計画（UNDP）が発表した報告によると、二〇二二年末までにアフガニスタンの九七％が貧困ラインを超える可能性があり、アフガニスタンは大きな人道危機に陥ると警告しています。原因はいろいろありますが、経済問題がとても大きいと言えます。全国的に栄養失調の子どもと妊婦が増加したと報道されています。

この三か月間で、アフガニスタンの食糧価格は二倍以上に高騰しました。小麦粉は一袋一四〇〇アフガニで売られていたものが、二九〇〇~三二〇〇アフガニになっています。

また四月中旬から水不足に直面しています。干ばつは過去二〇年間で最も深刻な状況で、国が取り組んできた水セクターを再建する努力にもかかわらず、水不足は今も続いています。人口の七〇%以上が安全な飲料水を確保できない状態です。

そのため五月中旬から南部のカンダハール州及び隣接する州の保健局には、コレラや脱水症が多数報告されています。発生件数が多く、治療対策の整備・管理が追いつかない危険な状況になっています。

さらに追い打ちをかけるように、六月中旬から全国二八の州で集中豪雨による洪水が発生し、家屋や農地が被害を受け、多くの死者、負傷者が出ています。

六月二二日、マグニチュード5・9の強い地震がアフガニスタン中南部を襲い、壊滅的な被害をもたらしました。一〇〇〇人以上が死亡、負傷者も一五〇〇人と伝えられています。その後も強い余震が続いています。

■二〇二二年七月~一〇月

赤十字国際委員会が八月に出した報道によると、過去数十年間続いた戦争でアフガニスタン全土に残された地雷が原因とされる爆発事故が、二〇二二年一月から八月までの間に、全国で一五〇五件発生しました。四六二人が死亡し、約一〇〇〇人が負傷しています。犠牲者の四〇%は子どもたちです。さらには多くの家畜や動物も犠牲になっている可能性があります。

このように多くの人々が地雷のぎせいになっている理由を考えてみると、二〇二一年八月にタリバン政権が復権したことにより、各地で起こっていた戦闘が収束したことに由来します。この一年近く、以前に比べて各地で発生していた戦闘は激減、またはゼロ近くにまでなくなりました。それまで大きな町や都市部に避難していた住民が、戦闘地域になっていた農村部に帰還しました。地雷の危険を十分に認識していない人々が、仕事のつもりで地雷が除去されていない土地に入り、鉄くずや捨て置かれた武器を回収しようとしています。

タリバン復権以降、親が職を失った家庭も多く、子どもたちが少しでも生活費を稼ごうと仕事感覚で懸命に鉄くずや金属回収を行っています。その結果、子どもを含む多くの人々が地雷地域に足を踏み入れ、忘れられていた地雷の犠牲になっています。アフガニスタン全土で戦闘地域の地雷除去問題が、国際社会の責任として今も残されています。

最近アフガニスタンでは首都カーブルを中心に、自爆テロが数件発生しています。九月五日にはロシア大使館近くで起こった自爆テロで、大使館職員など六名が死亡しました。

九月三〇日にはカーブル西部のハザラ人が多くすむ地域の教育センターで自爆テロが発生し、死者は五三人（うち四六人は女性）、死者は一一〇人に上りました。この日は大学入学試験が教育センターで行われており、タリバン復権以降、学校へ行けず自宅で自習を続けながら大学入学をめざしていた女子生徒を含む、数百人の学生が試験を受けている最中の卑劣なテロでした。

教育センターが襲撃された理由が、少数民族のハザラ人をねらったものなのか、それとも女性の就学に反対する勢力が起こしたものなのか、いまだに動機は解明されていませんが、この事件に対してアフガニスタン国民、タリバン政権、国連アフガニスタン支援団（UNAMA）が、ともに強く非難しています。

一〇月五日にはカーブルのアフガニスタン内務省敷地近くのモスクで爆破事件が発生し、四人が死亡、二五人が負傷しました。一般人も利用するモスクですが、テロ対策を手がけ、日々厳重に警備されている内務省のすぐ近くで発生していることから、首都市民は動揺しています。

3 私の歩んできた道

1　子ども時代、そして日本へ行き医師に

❖夢見る少年時代

私の故郷アフガニスタンは、洋の東西を結ぶシルクロードの交差点にありました。生まれ育った南西部にあるカンダハール市もまた、さまざまな文化や民族が行きかい、共存して暮らす豊かなところでした。

泥の壁や屋根の家々が連なっているやや狭い道で、子どもたちの遊び声が聞こえ、埃《ほこり》を立ち上げる汚れたサッカーボールの蹴り合いが続く午後の風景は、地方都市に良く見られた光景でありました。

九人きょうだいの長男として育った私にとって、少年時代は想い出深い時代であるとともに、浮き沈みの多い青年時代の基礎を作ってくれた時期でもありました。

私の父のアブドゥル・シャクールは裕福な家柄に生まれ、その父親（私の祖父）が貿易の仕事をしていて、多くの取引が旧ロシアを相手にしており、財産の多くはロシア紙幣で管理・運営してい

ました。しかし、ロシア革命で古ロシアの紙幣が使用できなくなって負債を抱えて破産、財産や不動産のほとんどが負債に充てられることになってしまいました。

祖父は経済的な苦労に加えて、肺結核を患い、四〇歳代で亡くなりました。私の父やその兄弟たちは貧しい生活を強いられました。父は逆にこの貧しさを力にして、高等学校卒業後に学校の教師になり、その後の自分の学問は、家庭の経済を支えながら継続していきました。毎日の勤務に加えて若い時代から書物を書いたり、詩を詠むなどの活動をしていたので、周囲から尊敬され、他の職種からのオファーを受けることも多くなっていました。海外での勉学に興味もあり、貿易会社のインド支社で事務職の仕事を選択しました。そして母体内にいる私のことを心配しながら、「長い出張」に出ることになりました。

その間は祖母が家長となりました。祖母は勇気と経験の豊富な方で、地域の子どもたちに無料で家庭教師をして、医師の少ない地域では子どもの風邪や下痢への対応、妊婦の管理指導を行うなど、地域の人々に奉仕を続けて、信頼を得ていた人でした。もちろん私たち孫にも厳しく、優しいおばあちゃんでもあったのです。また父の弟で、同じく教師をしていた叔父は、長年父の肩代わりとして私たちの教育と躾け係でした。

母子家庭のような状態が長く続くと、大家族の家庭内（叔父の家族を含めた）の課題が多くなり、精神的な負担が出てきました。もちろん叔父や祖母には、大変に気を使ってもらっていましたが、母にはそれが逆に負担と肩身の狭い思いをすることになりました。後に、叔父にも長男が生まれ、より複雑な人間関係と気遣いが必要となりました。

祖母は近所の子どもに無料で家庭教師をしていたので、私や姉たちも授業を受けていました。これが近所の子どもたちと良い競争になり、勉学と遊び両方に一所懸命に集中することになりました。

数年後に父が帰国して、首都のカーブルの国立言語学研究所に就職し、やっと家族全員で暮らせることを楽しみに、カーブルに移り住むことになりました。小学校に編入学し、言葉や習慣の違いを乗り越えて、勉学に励みました。

父はその後大学教授となり、さらにソ連の大学から招聘《しょうへい》されて再度お別れの状況が始まりました。しかし今回は、父がレニングラード大学（後にサンクトペテルブルク大学）での業務と生活が軌道に乗ると、私とすぐ上の姉にソ連に留学することを勧めてきました。

信じられない思いで新たな挑戦を決意し、一一歳で一年間、レニングラードのプーシキン小中学校で学ぶことになりました。ロシア語を学ぶことから始まって、慣れない学校生活や風習に苦労しながら勉学に励みました。人生の上では大変貴重な経験でありました。この経験が後に国際社会への興味に繋がり、日本への留学の基礎となったように思います。

帰国後は再度、アフガニスタンの学校でのブランクを埋めることと、他国で学んだ学問と経験を活かすのに苦労することになりましたが、これは貴重な経験でした。

❖小学校三年生で出会った出来事

小学校三年生の時、医師を志すことになる原点といえる出来事を体験します。「医師になろう」と思ったのは、実はもっと早い時期なのですが……。

近所でお世話になっていたお爺さんが病で倒れました。その家にはよく遊びに行っていました。子どもですから、お見舞いというよりも、遊びに行きながら見ていたら、そのお爺さんが血を吐いていたんです。

大変恰幅《かっぷく》のいい医者が往診に来るようになったのですが、お爺さんはそのうちにどんどん弱っていきます。食べられなくなり、咳き込んで苦しそうなのは、誰が見てもわかります。その医者は往診に来るたびに、「何を弱気になっているんだ。頑張れよ。ちゃんと食べてちゃんと元気にならなきゃ。薬飲みなさいよ。治るに決まっているじゃないか」と励ますんです。そうするとお爺さんは元気になって、パクパクと食べるようになるし、話もできるようになりました。

❖医療とは、薬や技術だけではない

ところがある日、門の前で家族に喋っている医者の言葉を耳にして、私は不思議に思いました。「もう長くはないよ。おそらく近いうちに亡くなるかも知れない」と言っているのです。そう言いながらも往診に来ると、お爺さんを「治るに決まっている」と励ましていきます。だから子ども心では

〈嘘つきだな〉と最初は思いました。何であんな裏腹なことを言っているのか、と。

そのお爺さんの顔を見ていたら、死ぬ前であっても、励まされることによって、わくわくして、医者が来るのを心待ちにしているということがわかってきました。〈あ、これはただ薬で病気を治すのではなく、心から信頼されているとか、あるいは心から励ますことによって、その人を元気づけているのだなあ〉ということが腑に落ちたのです。医療というものは、薬とか、技術だけではないのだという気持ちをその時に抱いたことが、医師を志すきっかけだったと思います。

そして家に帰って父親にその話をしたら、「そういうことなんだよ、人を救うということは。ただ学問だけではダメだよ。そこに心が添えられていなければ、ダメだよ」と言われ、「頑張れよ。良いところに気付いたね」と、励ましの言葉をくれたのです。

❖人の心をつなぎ合わせる〝針と糸〟

幼い私の決意を励ましたのは、教育者で詩人としても知られていた父でした。

父は、私が日本で生活の基盤を築いた後も、私の医療活動を応援し続け、二〇〇四年に八三歳で亡くなりました。歴史家であり詩人だった父は、戦禍にまみれて失われたアフガニスタンの心を取り戻し、人と人が結び付くことの尊さを、昔話に準《なぞら》えた一編の詩に綴っています。私は、父が遺したその物語のような詩を心に抱き続けてきました。

シルクロードの貿易が盛んだった時代に、ある王様のところに――おそらく中国かどこかの貿易団が来た時に――自分が住んでいる地域で作られている自慢の「鋏《はさみ》」を手土産として王様に献上しました。彼は鋏の自慢話をし、どのように作られ、どれほどの切れ味であるかなどを説明しました。すると王様は、「あなたのご好意に感謝する。あなたが持参した鋏は確かに自慢できるほどの逸品であろう。しかしわれわれはこれを土産としては受け取れない」と言いました。

「なぜですか?」と献上した彼が言うと、「鋏は物を切るものであり、裂くものだからだ。それは人間と人間の信頼と絆さえも切る可能性がある。われわれは切れる鋏よりも人々の心をつなぎ合わせることのできる〝針と糸〟が欲しいのだ。それによってさらに友情が増し、互いを尊敬し合い、それぞれの立場を尊重し合うことができるような関係をつくりたい。それが平和を生み出し、平安な世界をつくるのである」と王様は答えました。

❖信頼が失われるということ

アフガニスタンを含めシルクロードの大きな文化の大切なことの一つは、地域に「掟《おきて》」というものがあったことです。そこに住んでいる人たちが、いろんな国――西へ向かえば、ペルシャ（イラン）をへてギリシャに至り、東へ向かうと中国に達し、南へ進むとインドに入って行き、北に行くと中央アジアの遊牧民に出会う――こういうところの人たちが貿易をして往来する。迎える者は来た者を必ず受け入れる。

「もし三食しかなかったら、二食は客人に与え、一食は自分の家族が分けて食べるように」という掟があります。客人をそれだけ大事にする気持ちが、平和や、貿易や、繁栄を生んだのでしょう。私が、一番残念で仕方ないことは、永年の侵略に見舞われた祖国でたがいの信頼が失われたということです。武器を渡されて戦わされ、いろんな利害関係もからんで、長い歴史の中で培われた人と人との信頼が壊され、治安とか秩序を失ってしまいました。これを元に戻すのには、大変な時間、期間がかかると思います。

街は再建すれば、何十年かたてば何とかなるでしょう。学校は作れるでしょう。教育もこれから始められるでしょう。病人は治せるでしょう。しかし人と人の信頼によって生み出された平和――その平和という「掟」を戻すのには何世紀もかかるかも知れません。

この一番大切なものが失われたことが、大きな問題だろうと私は思います。

❖日本に留学して出会った夫婦

日本に留学して、やがてはアフガニスタンに帰り、子どもの時に目の当たりにした、血をはいていた結核を患っていた近所のお爺さんのように、結核などで苦しむ祖国の人々を救おうと私は考えていました。しかしこの地・日本で、病に苦しむ人とともに生きることも自分の使命であり、恩返しだと思うようになりました。それは学生時代の一つの出会いがきっかけでした。

私が日本に留学したのは一九六九年、一九歳の時です。患者の訴えに耳を澄ますことが大切だと考えていた私が、まず乗り越えようとしたのが言葉の壁でした。留学生だけの寮を出て、生きた日本語を学ぼうと下宿した老夫婦の家でのこと。そこで聞いた夫婦の体験が、私の人生にとって一つの指針となりました。

大学内には留学生寮があり、各国の学生が共に生活しています。日本人の学生の寮とは別です。そうすると外国人だけの寮にいると、それぞれの言葉は違っていても、共通の言葉はやはり英語になってしまいます。

私は日本語をしっかり覚えたい、本を読めるだけではなくて、日本の文化に触れ、日本食を食べ、日本語で話したいと思っていました。大学に世話をしてもらうようにお願いはしましたがメドがたたないので、「私はアフガニスタン人の留学生です。下宿したいけど、させてくれる人いませんか？」と、新聞に広告を出しました。やっと二軒見つかりました。

最初に行った家では、「女性だと思っていたんで、そんな大の男が来たら嫌だ」と言われて断られてしまいました。もう一軒は、お年寄りの夫婦がおられて、「いいよいいよ。どうぞどうぞ」という感じでした。そのご夫婦があまりにも親切過ぎて、日本語の問題だけでなく、日本の食事についても、いろいろなことを経験させていただきました。月末になると、下宿代も要らないといって取ってくれなかったのです。

❖受けた恩を困っている誰かに分け与えたい

ある日、食事が終わってから話を聞くと、「実は君を引き受けたのは、償いの意味で君に私たちのところに来てもらったんだ」と言うのです。

「その償いというのは何ですか？」

「戦争中、満州（現在の中国東北部）にいた私たちは、敗戦後日本に帰る船に乗り遅れて、中国に残されてしまった。日本人ということで周囲から罵声を浴び、命の危険すら感じた。幸いにも親切な中国人のおばあさんが私たちをかくまってくれて、一部屋しかなかった家の地下室に住まわせてくれました。迫害の恐れのあった私たちを外へ出すことなく、おばあさんが一日中働いて苦労して得たわずかな食糧を分け与えてくれたのです。体の弱いこのおばあさんの親切に、ずっと心苦しさを覚えていました。

私たちをいつか日本へ帰そうと考えていたおばあさんは、ある朝、出かけたはずなのに急に引き返して来て、私たち夫婦に早く支度をするように促しました。そして自分が頼み込んだ古い船に連れて行き、その船底にかくまってくれました。それが日本行きの船で、私たちは日本に帰ることができたのです。

そのおばあさんとはその後は連絡が取れないので、おそらく私たちを逃がした罪で罰せられることになったのでしょう。そのおばあさんに申し訳ないと思って、今度はその恩をいつか困っている誰かに分け与えたいと思っていました。そんな時、現れたのが君でした。

だから私たちはそれに対する報酬とか、あるいはお返しを期待しているわけではないんです」

それは私にとって人生の上で大きな教訓となりました。私は、今度はこのご夫婦から得たものを、どういうふうに、誰に返せるのかということに繋がります。医者を目指している以上、医師という立場で次の人にどのように返せるか——。これは具体的なものが出てくるわけではありませんが、しかし一番はじめに私にインパクトを与えた医者と、このご夫婦は随分と繋がるものがあるわけです。

必ずしもお返しを求めない。何か人のため世のためという発想は、いわゆる恩を返すというのは、その人にではなく、第三者でも私たちを必要とするところに私たちが出向いて奉仕ができるわけです。この考え方は医者そのものの根元に繋がっていく話しだろうと思います。

❖医師としての本格的な第一歩を島田市で

日本に来てから七年後の一九七六年、私は京都大学の医学部を卒業しました。京都大学や関西の病院で研修医として医療の原点を覚え、子どもの時に経験した血を吐いていたお爺さんが結核を患っていたので、医者になったらいつかはアフガニスタンで結核の患者を救おうとも決心していました。

日本で医師として研修や初期の基礎知識を得た後に、本格的な第一歩を踏み出した赴任先は、当時呼吸器科ができたばかりの島田市民病院（静岡県島田市）でした。七年間に及んだ市民病院での勤務で私は医長となり、日本国籍も取りました。

一九八九年、私に海外派遣の話が持ち上がります。行き先は、当時結核が蔓延していたイエメンだったのです。予防対策や治療に奔走した結果、イエメンは結核の治癒率が中東でトップになるという成果を生みました。ともにイエメンへ渡った妻・秀子《ひでこ》と四人の娘が、日本に帰国するまでの二年間、私を支えてくれました。

イエメンでの役割を終えた私には、次に島根県松江市の松江赤十字病院に呼吸器科を新設する仕事が待っていました。松江で働き始めた私の元に電話があって、「島田市周辺からグループで来ているので、夜の食事にホテルに来てくれませんか？」との誘いがありました。行ってみると、島田市民病院の時代の患者さんや家族の方々など、懐かしい面々が十数人もいて驚きました。

食べたり飲んだりしているうちに、「実は、君に島田市に帰ってきてもらいたいとお願いするためにはるばる来ているのです」と代表格の方が言い出しました。驚いた私が「島田市内には一〇〇人以上の医師がいる島田市民病院を始め、開業医の先生方も大勢いるので、私一人がいなくても困ることはないでしょう」と答えると、「いや皆はそばにいて欲しいのです」と言われた感動と驚きは、今でも覚えています。

島田市の皆さんの熱意に応えるとしても、再度島田市民病院に戻るべきか、それとも皆さんが言うように、そばにいて開業医となるか迷いました。悩んだ末に、開業医としての道を選択することにしました。そうなると準備資金を始め、開業する場所、土地や建物、設備などの規模と調達を考えなければなりません。

その前に、恩師の許可を得る必要があります。早速、京都大学の寺松孝教授を訪れました。松江赤十字病院に赴任するときに、「この任務を終えたら大学に戻って、教室で責任のあるポジションで頑張ってもらいたい」と教授から言われていましたから、言い出すのが怖い位に緊張していました。しかし笑顔で、「そこまで君が地元の人に好かれ、頼られていたのか。それはうれしい話じゃないか。頑張って来い」と言ってくださいました。

私が国際協力の仕事をしていたイエメン国の首都サナ市は、標高二三〇〇メートルで酸素が薄い地域でしたが、心筋梗塞を引き起こされて治療中だった寺松先生が私を訪ねて来られて、この時も「この仕事が終ったら日本に戻るように、教室で仕事をするように」と話されていたのです。今回の提案には、正直賛同していただけないのではないかと思っていました。

❖「レシャード医院」の開設

賛同していただいたとなると、前向きに計画を立てて、実行するだけです。島田市に向かい、地方銀行に寄って、担当者に計画を説明し、具体的な計画や段取りはまだこれからだが、先ずは金銭的な面を確実にしないといけないことを話しました。担当者は私の顔を見て、「失礼ですが、担保はあるのですか?」と聞いてきました。私は「ありません」と答えると、「チェーッ」と舌打ちをし、「外国人はこれだから……」と断られました。この態度にはがっかりして外に出ました。考えたら当然の対応だったのかもしれないと、自分を説得させました。

さあ、どうしよう、これで計画も終わりかも知れない、現実は厳しいのは当然かと、松江に帰ろうかと思いながら駅に向かう途中、地元の信用金庫の本店が見えてきました。ダメ元で入ってみようと決心して、入店しました。一番奥にいた、知っている顔の本店部長が私を見て、「なに、先生帰ってきてくれましたか、いらっしゃいませ。どうぞ、奥に座ってください」ということで、出されたお茶を飲みながら、ダメ元で話をしました。

すると部長の顔色が変わり、「なに先生、うれしいこと言ってくれるじゃないですか」。そこで私は先の銀行のことを思い出して、「私に担保はないですよ」と伝えました。部長は「先生！　あなたが担保ですよ。それ以上の担保は不要でしょう。まあ、理事会に諮らないといけないけど……」。この答えに私が唖然として、前の店とは全く違う返事に頭を下げて、お礼を言うほかありませんでした。これで前に進むことになり、土地探し、医師会への入会届、開業許可などなどの計画の始まりです。

実は家族、特に娘たちは以前の島田市での生活が懐かしく、できたら島田市で住みたいという要望が強かったのですが、父親の仕事関係もあり、この計画を相談すると全員が飛び上がるほどうれしくて、逆に感謝されるほどでした。

島田市医師会に入会申請をしましたが、保証人（できれば医師会の理事）が必要でしたから、過去に島田市民病院の院長を勤めたことのある京都大学の先輩にお願いしました。快く引き受けていただきましたが、「医師会の理事会で君のことを嫌っているような人もいるので、気をつけるように……」と注意されました。

なぜだろうと不安が募りましたが、頑張るしかないと意気込み新たに準備にかかりました。その頃の医業界の傾向として、院内薬局を設けずに、院外の薬局に処方箋を発行して投薬を行うことを、国からも勧められていました。私は院外処方を中心に申請しましたが、医師会事務局から呼ばれて、「理事から勝手なやり方や先進的なことはやめてもらいたい、院外処方などは当医師会では誰もやっていないので、やめるように……」と注意されました。

しかし、「そう言われても時代の流れですので誰かが始めないといけないことです」と突っぱねましたが、その後の反発は尋常なものではなかったです。薬剤師会の皆さんにお願いをすると積極的に対応する会員もいましたが、「経験がないので一から勉強しながら対応を考えます。準備にも時間がかかるので短期間でもいいから院内処方から開始して欲しい」との要望があり、その方向で準備に入りました。

一九九三年六月、長い準備期間を経てレシャード医院を開院することになりました。職員として島田市民病院で共に仕事をしていた看護師二人と事務員一人で始まりました。

❖地域医療の始まり

開院して外来診療が順調に軌道にのってきた頃、夜中に玄関のチャイムが鳴りました。「親父が大変な状態で、往診にきてもらいたい」と依頼がありました。着替えて、隣の医院を開いて、診察道具、点滴などを準備して、依頼人の車に乗って出発しました。

夜間で、行く方向は分かっても約一時間走ると周囲の状況や来た道の細かいことは分からなくなりました。患者さんの家に着くと、脳腫瘍で寝たきり状態の方で、血圧が低下しているので点滴を開始して、しばらく様子を見ていると安定してきたので帰宅することにしました。次の日に往診しようと自家用車で向かいましたが、昨夜は夜だったので詳しい地図が分からず、村人に尋ねてやっと家を見つけました。

このような経験から思い出したのが、大勢の島田市民が私を迎えに島根県まで来てくれたのは、このようにそばに寄り添って欲しいという意味だったんだと理解できました。往診先が無医村であることを知り、その後は週に一回、往診やボランティアで通うことになりました。町から離れた村々には医者や病院が足りないだけでなく、若者もいないことが現実であり、路頭に迷うお年寄りは他に行く場所がなく、ここで精一杯暮らし、孤独で亡くなっていく運命にあるのです。

町医者に専念し、往診などの在宅医療も執り行い、昼間のみならず、夜間の出動もありました。時には喘息の発作で夜間に来院した患者さんに点滴をしながら、そばで私がうたた寝をすることもありました。高齢の患者さんが慢性閉塞性肺疾患を患って、週に数回夜間に来院し、酸素吸入や薬剤吸入などの処置をして楽になると帰宅しました。

医院の隣に住まいがあることは便利ですが、ゆっくり眠れない誘因にもなっていました。娘たちに犬を飼いたいと頼まれ、ハスキー犬を飼うことになりました。優しい犬ですが、見た目が怖そうに見えるので、夜間に来院する、先の高齢者が怖がって、しばらく夜間の通院が途絶えました。私はゆっくりと眠れるようになりました。数週間すると夜間に鳴くことの多かった犬が静かになり、例の高齢者が夜間の受診を再開するようになりました。来院時間に窓から覗いてみると、高齢者夫婦が犬に美味しいそうな餌（肉など）を与えて、犬が鳴かないように馴らしていたのです。
なるほど、我が家の犬も在宅医療に貢献しているのだなと思いました。

❖介護老人保健施設の需要と建設計画

無医村での往診やボランティア訪問を継続するうちに、独り暮らしの高齢者や高齢の夫婦だけで住んでいる方々が少なくないことに気づきました。一人で身の回りのことが出来なくなったときに、誰が彼らの世話をするのでしょう。何とかその方たちが安心して過ごせる施設を作ることはできないだろうか。

まだレシャード医院の多額の借金返済のメドすら立っていない中、私は、介護老人保健施設「アポロン」の設立計画と、その役割を模索するようになりました。当時、島田市内には特別養護老人ホームが一か所ありましたが、介護老人ホーム（当時は介護老人施設といってました）は存在していませんでした。もちろん経験のないことですから、どこから始めたらよいのか見当もつかないことばかりでした。役所に相談しても、「本当に、あなた一人でやるの？」と問われるばかりでした。疑いの目で見られるのも当然のことかもしれませんが、誰かがやらねばならない、必要不可欠なものであることを説明して、理解を得ることができました。

先ずは土地探しからです。医院のそばの畑地に目星をつけて進めましたが、近隣住民の反対で実現しませんでした。ちょうど島田市にあった農業監理局が合併・閉鎖されることになり、その土地約一千坪がよい場所に位置していたのでアプローチしました。地主が次の借り主をどうするか心配していたこともあって、借地としてスムーズに計画が実行することになりました。

❖お年寄りが安らげる施設を

私には一つの理念があります。それは、お年寄りが入る施設のあり方です。環境のいいところに住むことをうたい文句に、施設を人里離れた静かな所に建設し、入居者を募集している例をよく目にします。

たしかに緑の多いところはいいのですが、お年寄りが毎日同じ緑を見ていたのではつまらないし、第一寂しすぎます。生活の匂い、音、人の動き、それらが身近にあってこそ、生きていることの実感、喜びを感じるはずです。だから、介護施設を作るのであれば、何としても町の中に作りたい、そう考えていました。

しかし、そのための土地を町の中に確保するというのは大変むずかしいことでした。そんな困難の中、多くの支援者、スタッフ、行政や地域の方々の多大なご支援を得て、一九九九年四月八日、介護老人保健施設「アポロン」の竣工式を執り行うことができたのです。まだ介護保険が施行される一年前で、厳しい運営と経営を、孤独な想いの中で乗り越えなければなりませんでした。

今、アポロンの入居者は一〇〇人。施設は念願通り町の中にあり、お年寄りたちが家庭と同じような生活をできるように、建物は二階建てとしました。

そして、食事は、仮に人口栄養（胃に穴をあけて管で食事をとっている）の人でもみんなといっしょです。管を通してお腹に入ってきた栄養剤であっても、口をぱくぱく動かして、みんなといっしょに味わっていただくのです。

さらに最初はテーブルに着くのは職員も一緒です。職員は若い人たちが多く働いていますから腹ぺこです。食べっぷりも違います。その姿を見ると、利用者も負けずにぱくぱく食べるようになります。そんな感覚で、生活することがお年寄りたちにとって一番大切なことではないかと考えています。寝たきりはつくらない方針です。しかし、コロナ感染拡大などを受けて、しばらくは対面の食事などはできなくなりました。

アポロンは二〇二三年四月で創設二四年、施設長は私の同級生で、学生時代から親しい前里和夫先生が就任し、小出美由季副施設長、代々の事務長、各スタッフに支えられ、夏祭りや年末のイベントなど、地域の大人や子どもたちも加わってにぎやかに催され、今や地域住民の安らぎの場ともなっています。

アポロンは医療法人として、訪問看護、訪問介護、居宅支援などの事業をさらに充実させ、その後二〇〇三年に、兄弟法人の社会福祉法人島田福祉の杜の設立と、特別養護老人ホーム「あすか」

の開設にこぎつけることができました。ここにはグループホーム、ショートステイ、デイサービスなども併せて開設しています。また高齢化が進むにつれて需要が高くなったので、老人保健施設のサテライトのアポロン伊太グループホームや小規模多機能施設を設けました。

2 島田市の高齢化とレシャード医院の在宅医療

❖高い高齢化率

日本の少子化高齢化は大変な勢いで進んでいて、二〇二〇年には高齢化率が二八・九％にまで達しましたが、静岡県はそれより高齢化が進み、人口そのものが減って子どももどんどん減っています。一方では高齢者の増加だけではなくて、平均寿命と健康寿命というのは必ずしも一致しているわけではありません。男性では八年ほど、女性では一二～一三年ほど健康寿命が平均寿命を下回っています（厚生労働省のデータによる）。これからの医療・介護は、健康寿命をいかに維持していくかが大事な課題であります。

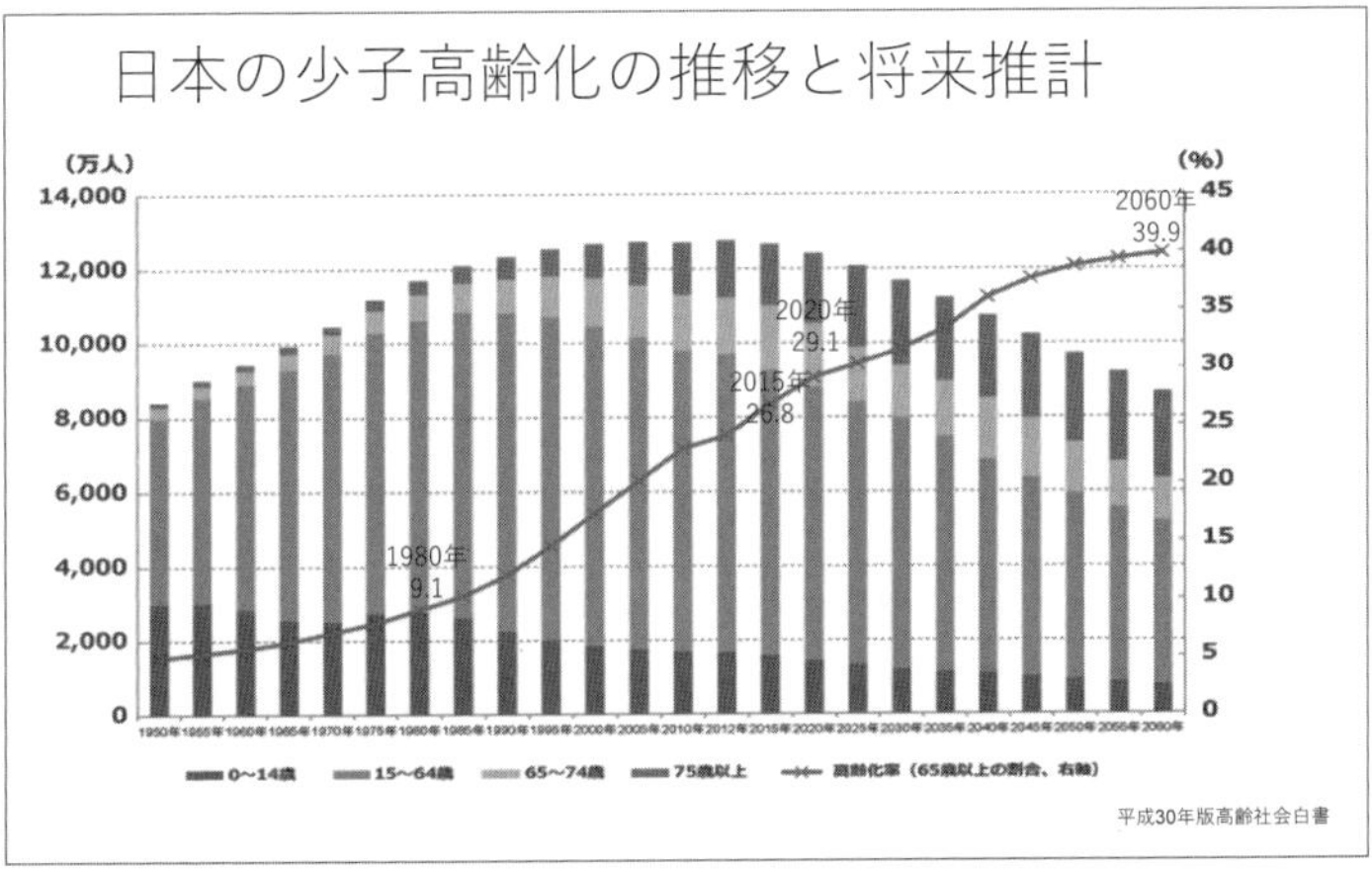

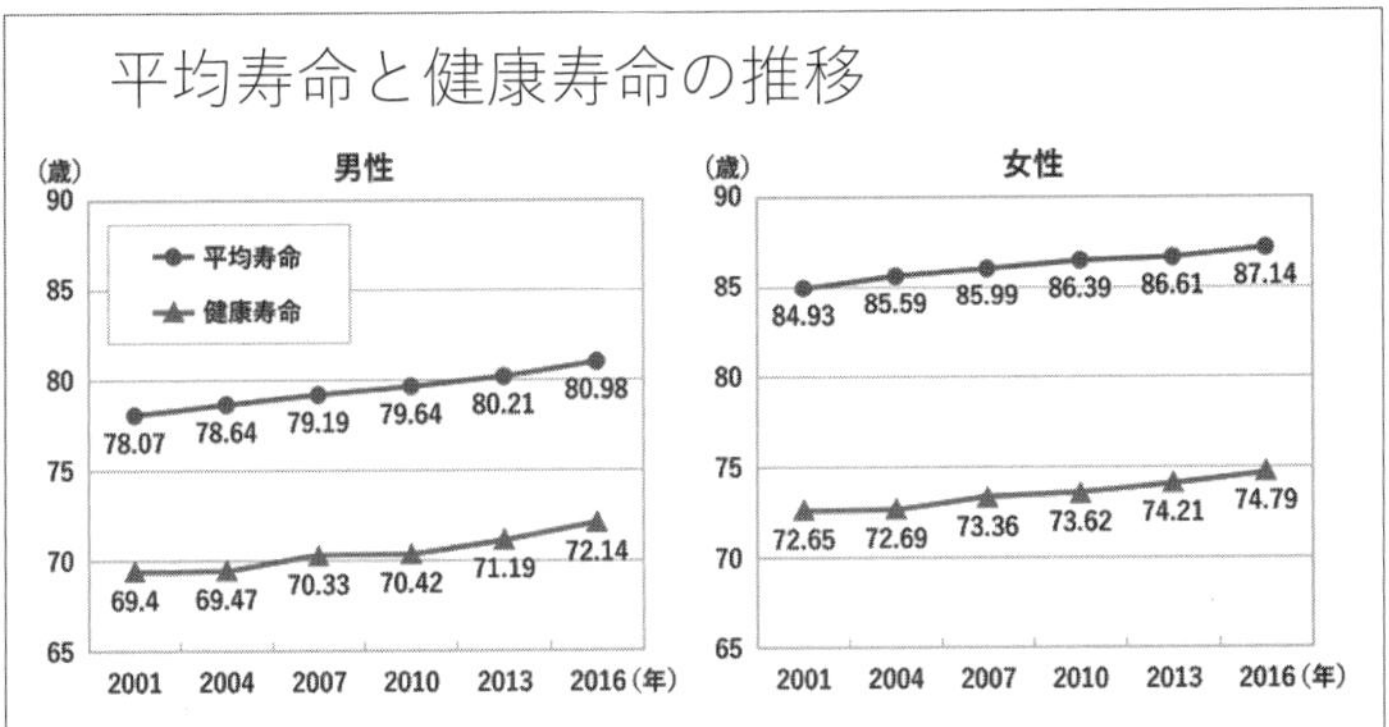

レシャード医院がある志《し》太《だ》榛原《はいばら》地域（静岡県中西部に位置し、島田市と三市二町から成る）では、基幹病院の診療体制縮小や診療科の閉鎖が相次いでいます。大きな要因は地方で医師数の減少です。一方高齢化率は全国の二八・九％に対して、静岡県全体が二九・五％、志太榛原地域が二九・六％、島田市が三一・二％と高い数値となって

います。

医師の数からいきますと、人口一〇万人当たりの医師数は全国では二五八・八名に対して、静岡県は二一七・二名、志太榛原地域が一六九・五名、島田市は一六二名と少なく、静岡県は医療面ではたいへん厳しい状況なのです。静岡県は温暖な気候で、経済的にもけっこう豊かなところではありますが、医療面におきましては医師や医療職の方が少ないのです。

島田市におきましては、人口約一〇万人の中で高齢の方がいる世帯は五三%を占めている状況で、一方医師会の医師数は五一名、平均年齢は五八歳、六五歳以上が二五・五%です。そして、一五・七%が七〇歳以上であるということは、完全に「老々医療」と呼べる状態です。

訪問看護ステーションも三か所しかなくて、訪問看護師の常勤が一四名、非常勤九名で、この一〇万人の健康を守らなければいけない、大変厳しい状況にあります。

❖在宅医療に対する患者と家族の意識のズレ

二〇一四年に島田市民に行ったアンケートでは、あなたが「完治しない疾病に罹患し、入院または入院以外で治療が継続できる場合で、往診してくれる医師や訪問看護師などの在宅医療を提供する体制があれば、在宅医療を望みますか」という問いに対し、「ぜひ在宅で療養したい（一九・二%）」と「できるだけ在宅医療を継続したい（四八%）」が、全体の約三分の二（六七・二%）を占めました。

一方これに対して家族の場合は、「あなたの家族が完治しない疾病に罹患し、在宅医療を希望し

静岡県の人口推移

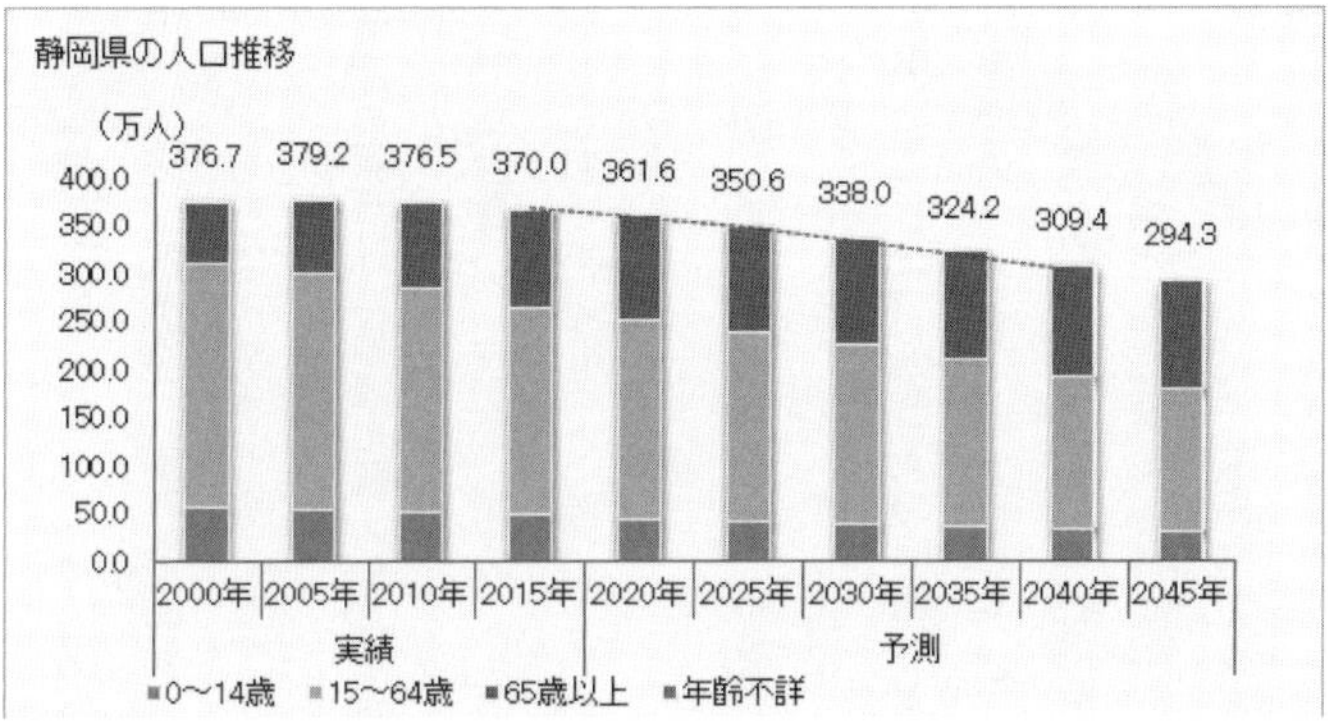

【データ出所】総務省 国勢調査及び国立社会保障・人口問題研究所 将来推計人口、総務省 住民基本台帳に基づく人口、人口動態及び世帯数

島田市の人口動態と地域医療の現状

島田市人口		97,836人　（約10万人）
一般世帯数		34,249世帯
	単独世帯	7.252世帯（一般世帯の21.2%）
	夫婦のみの世帯	6,882世帯（　〃　20.1%）
65歳以上の人がいる世帯		18,178世帯（一般世帯の53.1%）
	単独世帯	3,000世帯（65歳以上の人がいる世帯の16.5%）
	夫婦のみの世帯	4,434世帯（　〃　24.4%）
高齢化率		31.2%
診療所の医師数		51名（65歳以上25.5%　70歳以上15.7%）

島田市人口：島田市HP（2020年12月14日現在）　島田市世帯数：平成27(2015)年国勢調査人口等基本集計（総務省統計局），
高齢化率：島田市HP（介護保険事業状況報告2020年12月）　島田市医師数：島田市医師会　2019年

た場合、どのようにしようと思いますか」という問いに、「できるだけ本人の希望をかなえたい」と回答したのは三〇・三％と低く、「希望はかなえたいが実現困難」と「在宅医療はしたくない」が約半数を占めました。「在宅医療をしたくない理由」には、「急変時の対応が不安」、「医療・介護の知

識がない」、「入院の方がよりよい治療を受けられる」などが挙げられました。
そこで私が医師会長だった時に提案をして、島田市では「在宅医療推進協議会」を作り、市の職員、市民病院、医師会、歯科医師会、薬剤師会、ケアマネージャー、包括支援センターなどを含めて、少しでも在宅医療を充実させていこうという取り組みが始まりました。

❖医療の原点は「患者の訴えに耳を澄ますこと」

ここで私自身の「医療の原点」について記しておきましょう。医療の原点と言っているのは、「患者の訴えに耳を澄まして、聴いていけ。半分の診断は患者自身が告げてくれる」ということです。まさにその通りだと思います。

私の経験では、医療は化学、あるいは科学（サイエンス）だけのものでは決してないと思っています。人間学であって、そこに当然サイエンスとしての裏付けがないといけませんが、その上にもっとも大事なことは、人と人の信頼であり、心があると思います。

私は患者のことを「病人（やみびと）」と呼んでいますが、医療の原点は、この「病人（患者）」の元に、元気である「医療人（医療従事者）」が出向くことだと考えます。それが在宅医療の基本だったり、往診だったり、あるいは海外では難民支援ということになるかと思います。

しかし、医療人材や、経済的な事情を考えると、これらのことを行うのが不可能なことが多いのも現実です。外来患者の診察が忙しく、なかなか皆さんの家まで行くことができないことがあります。現実に私は午前中の外来が六〇人前後来て、診察が午後二時から三時までかかったとなると、在宅の患者全員の家までは行けないことになりますが、少なくとも心の底では「患者のところに出向くこと、寄り添うこと」が大切で、それが信頼であり、思いやりであるということです。それが私の医療の原点です。

❖在宅重視の「出向く医療」

そこで出向く医療、在宅医療について振り返ってみたいと思います。レシャード医院では、年間平均三四二回前後の訪問診療を行っています。当院の患者さんのうち、ここ数年では約六四％以上が在宅で死亡され、これに関連施設も含めると約七三％の皆さんが、在宅で最期を迎えられています。主治医ひとりではなく、訪問看護や他の診療所、総合病院と連携をとって在宅医療を行っている結果です。

二〇一八年の死亡場所の比較を見ますと、在宅死亡は全国で一三・七％、静岡県全体で一四・三％、島田市で一六・一％に対し、私たちの医院関連の患者の死亡率は六三・六％です。

施設入所者に関しても、大切なことは全員が施設で最期を迎えるのではなく、介護老人保健施設では在宅復帰も重視しています。実はこの在宅復帰率は徐々に増えて、大変高い在宅復帰率を得ることができました（二〇一一年：一二％、二〇一五年：五〇％、二〇二〇年：三五％）。

基本的なところですが、医療の「醫（医）」の字には、祈る気持ちで待っている患者のところに、

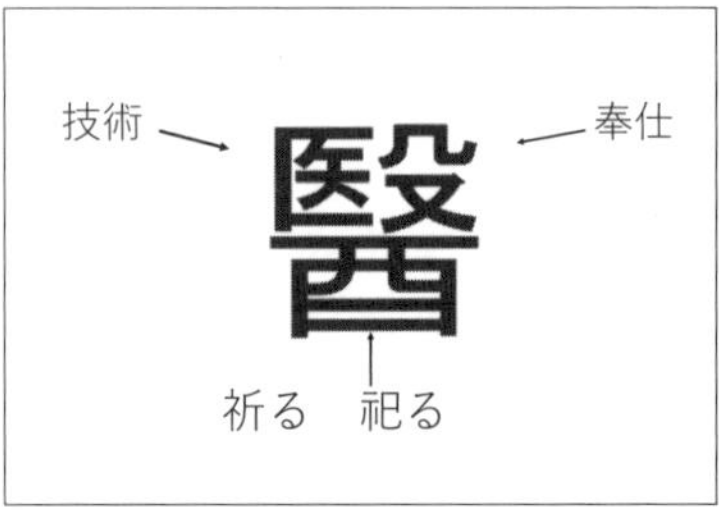

技術をもって奉仕するという意味が込められています。「医」は技術という意味であって、下の酉《とり》は祀《まつ》るとか祈るとかの意味です。私たちが目的とすべき、目指すべき医療の基本がここにあるのではないかと私は思っています。

医療というのは、本来ならば病人が寝ていて動けないはずです。元気な医者とか友人の方から動いて出向くのが当たり前のはずなのに、今の日本の——日本に限らず世界の中では、元気な医者が座っていて、病人が大勢集まってくるという形になっています。これは医療社会というのか、経済関係からみても仕方がない部分があります。しかし少なくとも心の中には、患者の方へ出向くという必要性があるわけです。

❖ 死は医療にとっての敗北ではない

日本は高齢化社会で、お年寄りの割合がどんどん増えているわけです。老いがあって、また死というのも避けることができない。医療人として、死というのは、医療にとっての敗北なのでしょうか。私はそうは思いません。それは立派に成し遂げた結果であると思います。

自然に死ぬこと、これは運命であり、これは定めです。それを楽しく自然のままで迎えられることが成功であると考えます。死というのは敗北では決してないです。これは避けられないことです。

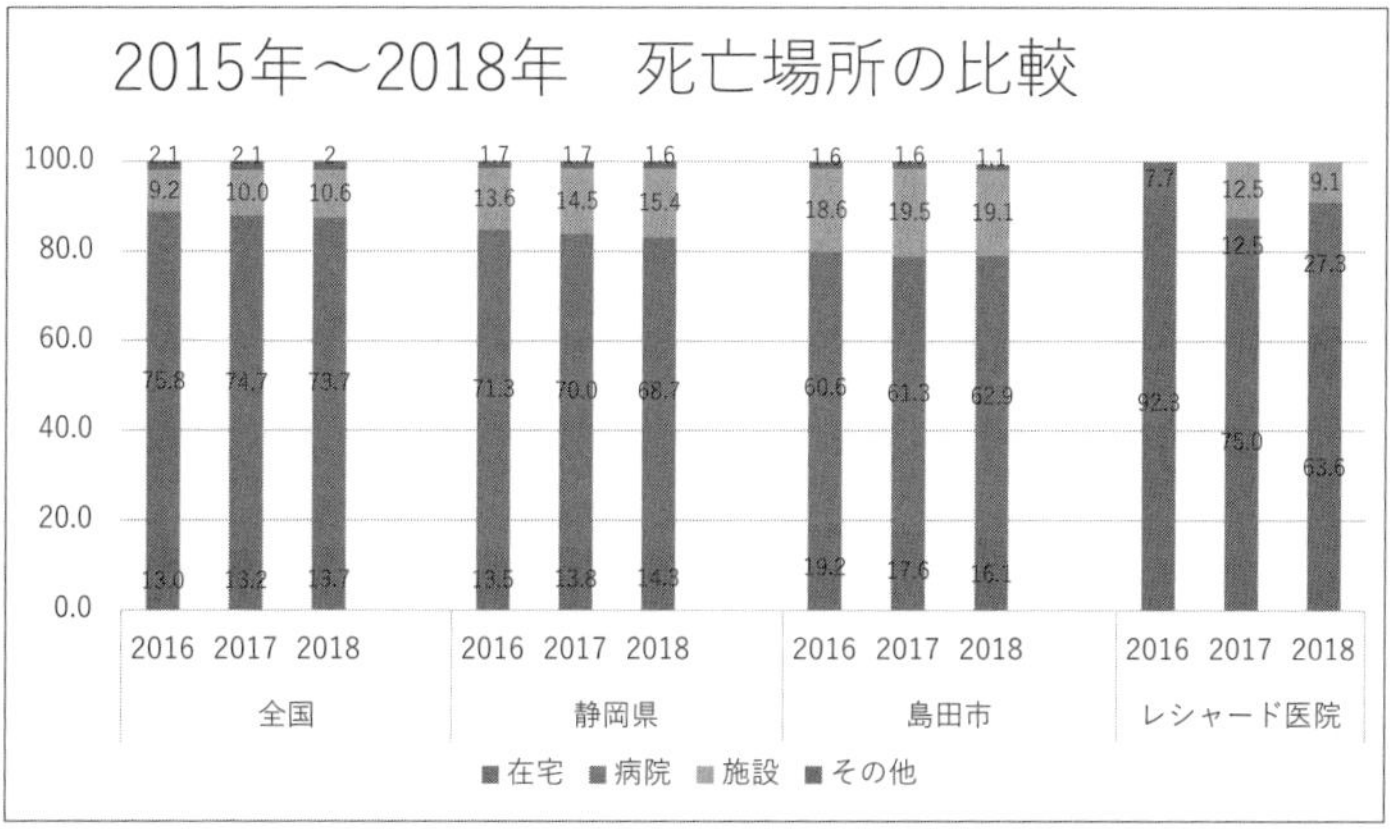

いくら医療が、あるいは医療技術が進んでも、死をなくすことはあり得ません。私はむしろ逆にどう生きるかということはもちろんのこと、どう死を迎えるかの質が課題だと思います。

ある患者さんの話です。いつも「私は家で畳の上で死にたい」と言っていた八八歳の施設に入っているおばあさんです。最後は意識もほとんどなく、血圧も下がって、「私たち医療の側からは数時間の命です」ということで、家族の方に説明して、「往診するからおばあちゃんの望みをかなえてあげてほしい」と家族を説得し、自宅に連れて帰ってもらったんです。

家に連れて帰ったら、田舎の町だから孫たち、曾孫たちが大勢集まっておばあさんの手を握って、「ばあちゃん！ばあちゃん！」と呼ぶのです。何とおばあさんは三時間後に目を覚ましてニコッと笑った。もちろん食べられないし、その後は意識を失っているのですけれど、三日間その孫たちに手を繋がれながら生き延びて、最期は笑顔で亡くなりました。たったの三日だけど、その三日間、孫たち曾孫たち、あるいは子どもたちに手を繋いで貰いながら、希望通り畳の上で死んでいったのは、大変幸せだったなと思いました。お子さんやお孫さんたちも、大喜びでした。幼い子どもたちが亡くなったおばあさんの顔を叩いて、「ばあちゃん！起きてよ！」と言いながら触るんです。

最近問題なのは、今の子どもたちは、家の中で実際に人が亡くなるのを見ていないのです。死が別れで、どれほど辛いものかというものは、子どもたちは知らないのです。だから痛めつけたり、いじめたりすることも平気でやっているのです。子どもたちが、別れの辛さ、悲しさを覚えれば、二度と人をそういう目に遭わせることはあり得ないと思います。

だからそのおばあちゃんの孫、曾孫たちは大きくなったら、〈あ、死ぬというのは、こういうものだ。だから辛いものだ。でも傍にいてよかった〉と気づくでしょう。この人たちの人生の中に、教訓が遺ります。命を大事にする。命には最後があるということを自覚するでしょう。

そしてその命は、大勢の人たちに護られている、自分だけの人生じゃない、自分一人の命じゃない、その人の「生きる質」と「死の質」の両方を問われていると思うのではないでしょうか。

3　カレーズの会と祖国・アフガニスタンへの支援

❖戦争で破壊されたアフガニスタン

奉仕の心をもって患者のところに出向くことは、日本での在宅医療だけの話ではありません。出向くべき患者がいるのなら、そこに出向くのが医療人であり、医者です。それはたまたま私の病院であったり、もしかして老人ホームだったり、あるいはもしかしてその人のお宅だったり、それが日本じゃなくて、もしかしてイエメンだったり、パキスタンやカンボジアにある難民キャンプだったり、アフガニスタンだったりということに繋がっていきます。

私が日本に根を下ろした理由の一つは、アフガニスタンを襲った戦争でした。残念ながら一九七九年に約一〇万人のソ連軍が侵攻し、すべてを破壊してしまいました。国民の一〇分の一に当たるおよそ一五〇万人が死亡、六〇〇万人ほどの難民を生み出しました。ソ連軍は一九八九年に撤退しましたが、これはアメリカやヨーロッパなどがソ連の反対派であるムジャヒディンを訓練したり、武器を供給したりしたことによるものでした。

経済・社会開発指標

	アフガン	日本
国民一人当たりの名目GDP（USドル）	556.3	38332.0
乳児死亡率（/出生　1000件）	48	2
5歳未満児死亡率（/出生　1000件）	62	2
妊産婦死亡率（/出生10万件）	638	5
5歳未満児の発育阻害（%　中・重度）	41	7
専門技能職が付き添う出産（%）	51	100
最低限の基礎的飲用水サービス（家庭）（%）	67	99
最低限の基礎的衛生設備（トイレ）サービス（家庭）（%）	43	100
若者（15〜24歳）の識字率	男性62% 女性32%	100

出典：世界子供白書　2019

ソ連軍の撤退後も、その武器と訓練された人たちがアフガニスタンに残って、そこに内戦が勃発したり、それを抑えるためにタリバン政権が発足したりと不安定な状況が続き、多くの国民が犠牲になりました。そして二〇〇一年九月一一日のアメリカ同時多発テロを受けて、今度は反ソ連の立場だったアメリカがアフガニスタンを攻撃、空爆により多くの住民が犠牲となりました。

私の祖国であるアフガニスタンは、かつては緑豊かな国で、私の子ども時代には万年雪に覆われた山々がたくさんありました。またヨーロッパのように見える風景は、実はソ連軍が入る前のアフガニスタンです。凱旋門が戦争によって悲惨な形になりました（口絵写真参照）。

❖アフガニスタンの経済的・社会的な実情

現在のアフガニスタンの経済的・社会的な実情を、二〇一九年『世界子供白書』よりお伝えします。アフガニスタンのGDPあるいはGNPを日本と比較してみます。

日本は今や四万ドルということになりますけれども、アフガニスタンの国民一人あたりのＧＤＰは五五六・三ＵＳドル（タリバン政権において、この値がさらに減少しています）、乳児死亡率は四・八％、五歳未満児死亡率は六・二％です。二〇〇〇年にはこの五歳未満児死亡率が二五％と、世界で最悪の状況でした。

地雷の除去

地雷はまだ全土に800万個残されている。
地雷の犠牲者は毎30分に1人といわれる。

また、妊婦死亡率は出生一〇万件あたり六三八件ですが、これはあくまで出生回数のカウントで、アフガニスタンでは一人の母親が平均七～八回子どもを産みますので、この八倍くらいの数になるということです。お産時の死亡は、専門技能職が立ち会っていないことが主な原因で、専門技能職が付き添う出産はわずか五一％、残りは自宅でお産をしたり、その合併症や感染症で亡くなったりしています。

そして、栄養失調状態などの発育阻害のある五歳未満の子どもたちが四一％もいます。これは本当に恐ろしいことです。識字率も大変大きな課題で、男性は六二％、女性はその半分くらいの三二％の識字率です。これが状況を悪化させているように思います。

もうひとつ、アフガニスタンにおける大きな問題は、実は地雷です。多くの国々で戦争が終わっても、そこに残された地雷が解決せず、そのまま残されています。一一九ページの写真のような種類の地雷がアフガニスタンで使われています。一番小さな地雷がいくらぐらいの値段なのか、想像つきますでしょうか。一番小さな中国製の地雷は四五〇円で手に入りますが、除去するのに約一〇万円かかります。信じられないことに、まだ八〇〇万個もの地雷がアフガニスタン国内に残されて、三〇分に一人が犠牲になっていることになります。子どもから大人まで多くの国民が犠牲になり、義足を使用しています。

一方では治安悪化によって、毎年一万人以上の民間人が死傷しています。軍人などはここに入っていません。子どもの死者とか負傷者も大量にいることも事実です。

※「カレーズの会」設立

かつて女性が街を闊歩《かっぽ》し、自由で多様な文化を誇っていたアフガニスタンの豊かさは、相次ぐ戦争で奪われました。私が、将来帰るべき場所として夢見ていた多くの医療施設も破壊され、人々は平均寿命が五〇歳未満という、世界屈指の劣悪な環境に置かれています。ソ連軍による侵攻以来、私は一人で何度も難民キャンプに赴き、私費をなげうって医薬品を集め、救援活動を続けました。

二〇〇二年四月、私の強い故郷への思いを知った患者や市民などが集まり、「カレーズの会」というNGO（現在は認定NPO法人）を立ち上げました。「カレーズ」というのはアフガニスタン現地の言葉で「地下水脈」という意味です。「命の水脈」、「癒しの源」、「将来の夢」といった意味もあります。「戦禍に苦しむアフガニスタンの人々に寄り添うために、医療と教育の面で、地下水脈のように目立たず、一滴一滴の水のごとく、一人ひとりが集まって流れを作って人を救っていきましょう」という目的で設立しました。

二〇〇二年七月に私の故郷・カンダハール市内で「カレーズの会診療所」を開設しました。人々が待ち望んだ無料で診療を受けられる施設です。ここでは基本的な日常診療をやったり、予防接種をやります。

多くの患者さんが待っています。男性の患者さんの場合は、武器などを持っていないかどうかを確認する必要があります。武器を持参する人もいることがありますので、けっこう面倒なことがたくさんあります。

❖衛生教育にも力を入れる

大切なことは、衛生教育が進んでいないので、これを進めることです。出産のお手伝いもします。ただ、私たちが拠点とするクリニックまで来られない村の人々も多くいるので、その人々のために住居に近い「ヘルス・ポスト」を作り、そこでボランティアを教育をして、村で患者教育、服薬指導、往診・訪問診療をする時の診療介助、重症患者の搬送、地域のごみ・下水処理の管理や指導をやってもらっています。なるべく村で何かできることをやっていく。また、教育面では学校教育を行っています。今後は学校保健室を作って児童の健康チェックや予防接種歴の確認を行うことを予

カレーズの会　現地疾患構造　　カレーズの会

2002年8月～2020年11月

疾病	患者数
急性呼吸器疾患	131,846
耳鼻科	108,833
急性下痢	59,788
尿路感染症	55,457
精神疾患（PTSD）	41,901
骨盤内炎症（産科関連）	33,585
上部消化器疾患	32,658
栄養素障害	32,634
骨格筋系疾患（整形外科系）	23,216
貧血	20,721
その他	342,731

定しています。今後は、日本の母子手帳をアフガニスタン風に工夫して作ることができたらと思っています。

診療所を作ったとき、大きな建物を作ったつもりでしたが患者が入りきれなくて、大勢が外で並んでいるという状況でした。カレーズの会の現地クリニックでは、二〇〇二年から二〇二二年七月の間に約七〇万七九四五人の患者さんを無料で治療してきました。患者の中では、男性よりも圧倒的に女性の方が多いです。一五歳以上の大人の女性が五八・五%で、約六割です。産科関連でもそうですが、女性の健康状態が非常に悪いということです。これは慣習の問題、また衛生の問題が大きいのではないかと思います。

疾患別では、呼吸器疾患や感染症が主で、いまだに結核も多いです。また、ポリオも結構な数が発生しており、私も年に一、二回現地に行った時にはポリオの患者さんに遭遇しています。今は世界では幻になりつつある感染症も、やっぱりこういう地域ではあるのです。以前は乳幼児の死亡率も高く、四人に一人が五歳の誕生日を迎えることができないという状態でした。

❖難民キャンプで命を救う

難民キャンプで診察する筆者（左）

これは難民キャンプの中で私が診察しているお年寄りで、大勢の人たちが順番を待っているところです。ただ、難民キャンプに行くときは、そのとき持って行った薬が終わったら治療は終わりです。もうそれ以上は何もできません。処方箋を発行しても、難民キャンプに薬局もなければ、難民がそれを購入するお金もありません。

以前の話しですが、ある難民キャンプに行ったときに、大勢の患者さんが待っていて、その患者さんたちを全員診て、薬も終わったし、「もう今日はこれで終わりです」と言ってテントから出てきました。

すると一人のおじいさんがずっと座っていたのに気づいて、「どうしたの、おじいさん」と訊いたら、「悪いけど、私の孫は連れてこられなかったけど、診てくれませんか？」と懇願されました。「何で早く言わないの？

いま薬もなくなってしまったのに。でも、いいです。行きましょう」と言って、そのキャンプのずうーっと端に行きました。

二つ、三つ向こうのテントから、大きなうなり声が聞こえるんです。近づいてみたら、子どもが真っ青になって、「うー、うー」とうなっていました。診察してみると、熱がずっと出ていて、何も食べられない。息ができない。喉を診ると扁桃腺が腫れていて喉を完全に塞いでいるようです。ジフテリアだったのです。最近日本ではなかなか見られない状況です。息ができないし、窒息寸前の状態でした。

私は限られた環境下で、「できることは何だろう?」と考え、その子を起こして、自分の指にタオルを巻いて、口の奥の扁桃腺をつぶして排膿し、中を洗い出してきれいにしました。吸引もないので背中をさすって全部洗い出すと、真っ青だったチアノーゼの顔がみるみるうちにピンク色になって、息ができるようになって、子どもが目を開きました。

お母さんやおじいちゃんは泣き出して、妹か弟かわからないけれど「早くお父さんを呼んで!」って叫びました。「お父さんはどこにいるの?」と聞いたら、「この子はもう死ぬだろうと、いまお墓を掘りに行っているんです」と。そのくらい家族はあきらめている状態で、私たちは自分用に持っている抗生物質を少し手渡して、「ちょっと様子を見てください」と言って、出てきました。

あの子は私たちが行かなかったら、おそらく数時間後には窒息して亡くなっていただろうと思います。

カレーズの会

カレーズの会

予防接種の普及

感染症対策のため、0歳から2歳の子供に対して接種

2006年9月～2022年12月

	院内接種	ヘルス・ポスト	モバイルチーム	合計
BCG	14,368	2,314	91	**16,773**
ポリオ	68,035	8,940	455	**77,430**
PCV	35,701	3,361	344	**39,406**
IPV（不活化ポリオ）	9,881	793	74	**10,748**
Hep B	3,384	15	0	**3,399**
混合接種	50,399	7,062	382	**57,843**
麻疹	23,321	4,168	153	**27,642**
ロタ	13,587	1,037	218	**14,842**
合計	**218,676**	**27,690**	**1,717**	**248,083**

＜破傷風＞

2006年9月～2022年12月

出産による感染対策のため、妊娠適齢期の女性（15歳から45歳）に接種

	院内接種	ヘルス・ポスト	モバイルチーム	合計
妊婦	18,397	660	179	**19,236**
非妊婦	40,801	1,562	1,481	**43,844**
合計	**59,198**	**2,222**	**1,660**	**63,080**

❖予防接種の普及に尽力

ジフテリアもそうですが、予防接種が普及していないことが大きな問題です。そこで私たちは〇～二歳の子どもたちに予防接種を始め、クリニック内で、あるいは村のヘルス・ポスト、またモバイルチームを作って家々を回り、二〇〇六年から二〇二二年の間に二四万八千人の子どもたちに予防接種を施行しました。また、家族が予防接種について理解していることがすごく大切ですので、衛生教育のなかで十分に説明していく必要があります。

もう一つ大切なことは、出産後の母親が破傷風を発症して死亡するこ

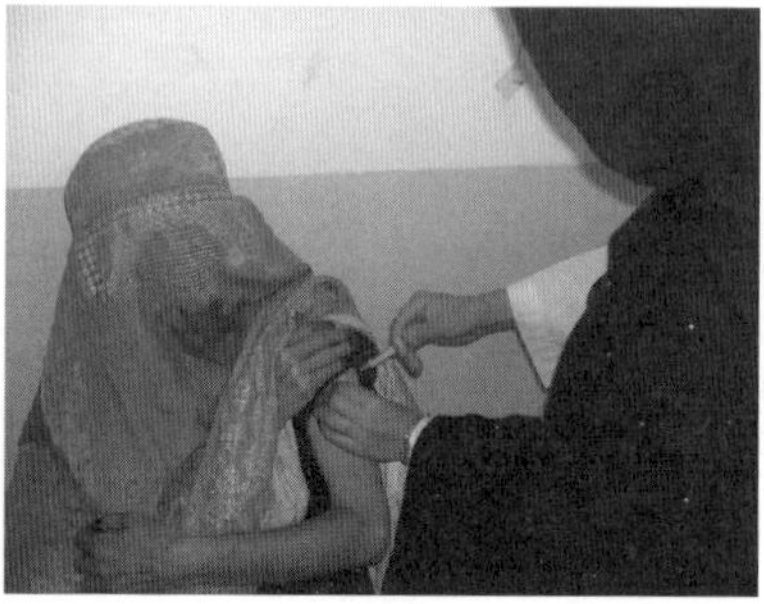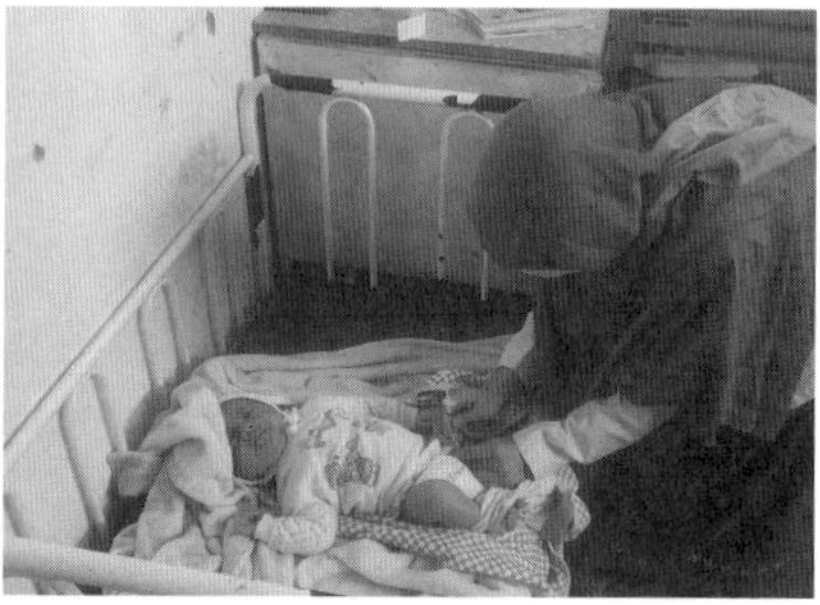

クリニックでの予防接種。女性（左）と子どもへの接種

とが結構あります。そこで六万三千人の一五～四五歳の女性を対象に、破傷風の予防接種を行いました。また、それまでほとんどのお産を自宅で行っていてお産関連の死亡率がたいへん高くて合併症も多かったので、二〇〇六年九月から診療所内で執り行うようにしました。現在三六五日、昼夜休みなく助産師による出産介助を行い、ある程度限られた人たちではありますが、やっとお産関連の乳児や母親の死亡率を少しずつ減らすことができています。

取り上げた子どもを抱っこさせてもらうと、本当に可愛いです。しかしまだ診療の現場などでも、男性医師が女性の患者を診るということに対して抵抗があったり、初妊産婦がぎりぎりまで我慢してしまうことなどがあります。

❖村で医療を手助けする「ヘルス・ポスト」

いままで何度となく出てきているヘルス・ポストのことですが、これは村々で男女一人ずつ医療を手助けする人を養成して、できるだけ村の中で誰かが村人と接点を持てる対象をつくろうということです。

基本的な業務は、患者の教育や、結核が結構多いので直接患者に結核の薬を飲ませるとか、そういうことは誰かがしないといけないですから、ボランティアでやってもらいます。

あるいは定期的に医師が訪問診療を行うときには、村の人々を集めたり、病気の人のデータをまとめる手伝いをしてもらったり、診療の介助をしたり、また重症の患者が出ると病院まで、あるいは診療所まで搬送してもらう。

それから衛生的なことについて、地域のごみとか下水処理とかの管理や指導を村の中でやってもらいます。

私たちはこれまで、クリニックやヘルス・ポストを訪れた約六九万人の方たちに衛生教育を行ってきました。普段から衛生面に注意することがいかに大事であるかということを、教育させていただいています。

❖女性の患者を診察するときの工夫

私たちのクリニックでは、村々に村の男女一人ずつをボランティアとして指名して、その人たちを教育して、村の中で活動してもらいました。

予防注射も予防接種をする人を派遣して、その人たちと一緒に村を廻ったら安心です。村々の家を廻るようになるので、それもやってもらいます。ボランティアの人たちを教育した後も、月に一回、必ず最新の研修コースで教えるようにしています。その人たちからまた各村のお母さんたちにいろいろと教えてもらうのです。

お母さんたちが基本的な保健衛生の知識を得たり、子どもたちが読み書きができるようになることも、広い意味での命を護るということになります。むしろ私は、その方がもっと重要だと思います。偏見をなくすためには、医療を受ける体制づくり以前に、医療に対する不安感、予防接種に対する不信感をなくすのです。男性医師に顔を見せたり、身体を診せるのだったら病気で死んだ方がまし、という考えを改めてもらうための教育が先です。

自分自身が納得して受け入れるようにならない限り、例えば自宅の門前に医者が立っていても中に入れてくれないわけです。そういうところを、今すごく重要視する必要があります。

❖子どもたちへの教育支援

私たちは教育支援の一環として、二〇〇九年にカンダハール市郊外に「ハジ・ニカ学校」を建設しました。当初は四八〇人の生徒用に学校を作りましたが、今は一六九〇人の子どもが勉強しています。イスラム教の戒律が厳しいところですが、女子が三分の一くらい学んでいます。

しかし、一七〇〇人近くの生徒が学んでいるのに、先生は三二人しかいません。今は教室が足りないので三交替で、朝七時から一一時まで、一一時から午後三時まで、三時から夜七時まで勉強を教えてもらっていますが、同じ先生たちが朝から晩までずっと頑張って子どもたちに勉強を教えて

カレーズの会が建設したハジ・ニカ学校

くれています。青空教室を作ったり、ユニセフから借りたテントで勉強してもらったりしています。

将来のために何とか学びたいと、子どもたちが必死で一生懸命勉強しています。本当によくここまで頑張ってくれているなと思うことが、たびたびあります。子どもたちの将来を何とか応援してあげたいと思います。

日本の外務省にこの学校の拡張のための出資をお願いし、よい結果を期待しているところです。

❖部族や人種で患者を差別しない

私たちが診ている七二万人の患者さんの中には、いろんな部族、いろんな人種、そしてイスラム教徒ではない人たちも大勢いるわけです。人はすべて平等であるという理念のもとで、私たちは皆受け入れて治療してきました。

例えばその人がタリバン（過去にはテロなどの行動を引き起こしていた者）であろうと、全然問題ありません。その人も人間だし、困った時に行き場がないのですから……。

武装勢力を治療することによって、一部ではその人が治って、また戦場に戻って、また攻撃を仕掛けてくるということに荷担するのではないかという見方も、当然あるでしょう。でも、そこまで考えて患者をケアしないのであれば、それは医療人とは言えないです。

過去に私たちのところに脅しの手紙がきました。タリバンと称する人から、「金払わないとぶっ飛ばすぞ。爆弾仕掛ける」と。私たちに「お金をくれ」という話ですが、このようなことに使うようなお金は私たちには何にもないです。

この話が広がってある日、タリバンの方から手紙が来て、それには「誰かが我々の名前を使っている。我々の家族やみんながお世話になっていて助かっていますので、クリニックに害を与えるはずはない」と。一緒に入っていたのが、一通の手紙で「これを貼ってください」。手紙に書いてあったのは、「タリバンはそういうバカなことはしない。人のために役に立っているところはぶっ飛ばすようなことは絶対しない。そういう脅しを書いた奴は我々が許さないから、そういうつもりでのぞめ」と。それから一切そういう脅しはありませんでした。

❖大切な人を失う体験

現地での取り組みが、少しずつ実を結び始めていた最中、私は大切な人を失う体験もしてきました。二〇〇六年、妻秀子が突然の病で急逝しました。妻は、アフガニスタンと日本で、休みなく働く私の大きな支えでした。

二年後の二〇〇八年には、現地の若い医師マムン・タヒリさんが事故に巻き込まれて亡くなりました。日本に来て結核などの感染症の治療を学んだタヒリさんの将来に大きな期待を寄せていました。三十代半ばの命を奪った事故は、自爆テロによるものでした。空爆や地雷、ＩＳ（イスラム国）による自爆テロと隣り合わせの状態が続くアフガニスタンでの医療活動中でした。

宗教はイスラム教に限らず、どこの宗教であろうと人を導くためにできているものであって、制限を加えたり、あるいは悪い方向に人を導くということはあり得ないと思います。タリバンが政権を収得してから女性たちの教育を制限したりしていますが、基本的にイスラムの中では、「あなたがもっとも大事にしなければならないのは、妻であり、子どもであり、その教育はあなたの義務である」という文章があります。それは大変重要な言葉であって、イスラムの根元の言葉です。

日本人がもっているイスラム教に対するイメージはそうよくないことがありますが、十分な知識と理解が必要であります。

断食をすることで、人の気持ちがわかる。その痛みがわかる。腹を減らして食べられないことで喉が渇く。そういうことが、どれほど辛いものなのか、その気持ちを先ず自覚しなさい。人は一生その苦しみをもっているわけです。「君はそれに対してどうするの?」と問われていると思います。そして、普段から食糧がなく、常に腹を減らしている人びとの気持ちをわかることが大切なことです。そういう意味で、苦しみをいかに自分のものにして、その一カ月の教訓をどう実行に移せるかということだと思います。そして断食で余らせた食糧を必要としている第三者に与えることを進めています。

これは、「自分にできることは人の役に立てる、余分なものは人に分け与えていきなさい」という発想なんです。自分の技術や、自分にできる能力、そういうものは全部人に分け与えていきなさいという意味であると、私は思います。

❖ 人間には乗り越えなければならない宿命がある

私自身は妻を亡くして、本当に辛かったです。子どもを四人も産んでもらって、育ててもらって、別れは大変悲しかったのです。最初にソ連軍がアフガニスタンに侵攻した時、真っ先に彼女はそれまでに蓄えたものをすべて出して、「これで薬買って行ってきなさい」と言ってくれました。その時笑顔で送り出してくれたというのは、十分私の活動を理解してくれていたからだろうと思います。何回か地雷を踏み損なった私ですけど、笑顔で迎えてもくれました。

私のところに来てくれていたドクターのマムン・タヒリさんは大変いい青年で、とても真面目な方でした。けれども、残念ながら自爆テロで命を失いました。両親は健在で、お悔やみにまいりましたら、出迎えてくれた幼い子どもたちの姿を見て、いたたまれない気持ちでした。

「私たちにできることが何かあれば……」と言ったら、「神様が決めたことだろう。ただ彼が人のために、人を救うために出掛けた時に死んだということだけは、私たちの救いである」と、そういう言葉を聞くと、やはり乗り越えなければならない宿命というものが人間にあったとしても、宿命を乗り越えるのは大変に辛いことです。そう楽なことではありません。

彼と一緒にやってきた仕事、その使命をこれからも貫かなければなりません。これからの仕事の上で、私はさらに奮闘しなければならない、と思っているところです。

❖当たり前の人生を全うするために

アジアの文化では、住み慣れた地域を最期まで愛し、そこで人生を全うすることが最大の幸せであり喜びです。この目標を達成するために、患者や利用者に当たり前の暮らしのなかで、喜びと安らぎを与えられるように努力することが、私たち医療人の責務ではないかと思います。患者の元に足を運ぶことで、皆が喜んで人生を全うできるようにしてあげたいです。

日本の患者や介護利用者であっても、アフガニスタンのような地域における避難民や支援を必要とする人たちであっても、その対応には大きな差はないと思います。「病は場所を選ばず、国籍を問わず」ということは、私たちの活動も地域は選ばず、国は問わないということです。人として当たり前に支援の手を伸ばすことが必要不可欠だと思います。

当たり前の人生を皆が全うするために、私たちができることは何でしょうか。それは国を問わず、まずしっかり目を見開いて関心をもつことです。関心をもたなければ何も耳に入らず、何の知識も得られません。

私たちの知らないことが世の中にはあまりにも多すぎて、何かしようとしても、何も知らなければ、何も始まりません。関心をもつことからすべてが始まります。そして人任せにせず、自らの判断で積極的に貢献することです。

国際協力は、見栄を張らずに無理をせず、「自分にできる範囲内」のことをしっかり行うことです。無理しすぎて身体を壊したりする人もいますが、それはやるべきことではないでしょう。

それから医療人は医者だけではない。多職種の人を大切にし、連携して対応することが大切です。看護師、介護士、さまざまな技術者など、皆が人を救うために同じような思いで頑張っています。だから私は医者と言わずに「医療人」という言葉をあえて使っています。医者が患者の役に立っているのは、おそらく三分の一くらいで、あとは多職種の多くの方々が貢献して、患者さんを治しているのではないかと思っています。お互いに連携し、結束力をいかし、より働きやすい環境をつくることが大切だと思います。

❖他人任せにしない平和を

人間として生活していくのに必要な、恵まれた環境の多くが今の日本にあることを皆さんにわきまえておいていただきたいのです。なぜアフガニスタンやほかの国と日本は違うのか。世界平和はもとより、自国の平和と繁栄を考え、他人任せにしないことが重要です。なぜ平和であるのか、なぜ私たちが安らかな生活を送れているのかを考え、自らの積極的な参加で平和を維持することが大切です。

憲法9条があるから今の日本があると、私は思っています。その9条をぶち壊す動きがありますが、今の日本の平和・繁栄を皆が噛みしめて、世界の平和はもとより、自国の平和と繁栄をしっかり考えていくこと、他人任せにしない。一人ひとりが積極的な参加で平和を維持すること、そのために自分たちが貢献しなければならないということが重要だと思います。それが私の素直な気持ちです。

❖アフガニスタンでの新型コロナウイルスの現状

最後に新型コロナウイルス、COVID－19について触れてみたいと思います。

二〇二二年一月八日現在、アフガニスタンでは八二万九三七三件のCOVID－19のPCR検査報告があり、陽性率は一九・一％（対検査数）、死亡率四・六六％でした。しかしPCR検査そのものが足りておらず、全国でＰＣＲ検査ができるところが、都市部は一一か所しかなく、五か所が首都のカーブルで、六か所はほかの都市部にあるということです。十分な体制がないなか陽性者数の二・九七％を医療従事者が占め、全体の死亡率は四・七％と高く、死亡者のうち約一・三％が医療従事者であることが大きな問題です。

カレーズの会の診療所では二〇二二年八月の時点では、私たちが診療をやっているときに、待合室とか診療室に大勢の人が集まっている状況になっていましたので、社会的距離を設けるように、屋外にチャペルみたいなものを作って診療する方法をとりました。診察は医師と患者一対一で行ったり、イスラム文化では女性の診察は制限されるため、その対応に苦慮しています。

もちろん、適時に消毒をなるべくするようにして対策を考えております。

コラム

レシャード・カレッドの眼—診察室の窓から心の声を聴いて、診る【①】

❖生きることは喜びである

高度経済成長期、日本は短期間で大変な発展と経済成長を成し遂げた。発展と成長は素晴らしいことである。そのおかげで保険衛生状態は急速に改善し、環境や栄養状況が向上、感染症が減少し、その結果寿命が延長し、世界一を誇れるようになった。大変に良いことである。

しかし、一方ではこのような急速な変化に社会福祉や弱者救済の進歩がついて行けず、新たな社会の歪みを作ることになってきている。時には高齢者や障害者は置き残され、社会の隅に追いやられているようにさえも思える。

本来、長寿は喜びであって、おめでたいことである。しかし、高齢化が社会の重荷として表現され、長く生きることは申し訳ないと思う人もいる。寂しいことだ。

私の患者にSHさんという素晴らしいおばあちゃまがいる。高血圧、狭心症、若干の糖尿病はあるものの、足のしびれ以外は訴えることもなく、元気で、可愛いおばあちゃまである。特に笑顔は素敵で、お喋りが好きで、また楽しい会話が長い人生の隅々の楽しいこと、辛いことは独特な口調で、まるで詩でも聞くかのように心に響く。高齢であるにもかかわらず、時には店番さえして、周辺の住民を自分の孫のように褒めたり、叱ったりする。

このおばあちゃまが、受診するたびに口癖のように、決まって毎回訴えることがある。「わしは長く生き過ぎた、人の分まで生き延びた、もういい加減に迎えが来てほしい。先生、わしに何かあったら頼むから余分な手立てはせずに死なせてくれ」と。この言葉を聞くたびに、「長生きしてこそ今の幸せを噛み締めるのだ」と言い返し、「子ども、孫、ひ孫まであなたに感謝しているから今までのご苦労が実る時ではないか」と、決まって私が返事をする。

ある年の一一月末の寒い日におばあちゃまが受診に来てくれた。小さな可愛い手を寒そうにこすりながら、例の如く「長く生き過ぎた、早く迎えが来てほしい……」と話している。

「おばあちゃん！　おめでとうございます。今日はおめでたいお誕生日ではないですか、縁起でもないことは言うものではない」と声を掛けると、「そうかね、一体わしはいくつになったのか」と尋ねてきた。

人によってわしは九四になったと言い、別な人には九五と言う。「本当の年齢は九四でもなく、九五でもない。まだ九二歳。まだまだ若いのだから死ぬことばかり言わないでね」

それを聞いた途端におばあちゃまが、輝くような笑顔になり、「何だまだそんな歳か、二、三歳儲かったじゃないか。まだ生きられるのだな」と喜びを露わにした。

そして今年一一月の同じ日に受診したおばあちゃまに、「おめでとうございます」と言うと、同じように「いくつになった」と尋ねてきた。「九四歳だよ」と告げると、「百歳まであと二、三歩だな」と小さく呟いて、喜びいっぱいの大きな笑い声を上げて帰宅した。

やはり生きることは喜びである。

❖長生きすることは社会に迷惑でしょうか

先日外来を訪れてきた九三歳のおばあちゃんが、「先生、長く行き過ぎたなあ、最近世間のいろんな反応を見ると長生きすることは社会に迷惑を掛けているように思えてくる」と呟いた。「医療費負担は増える、介護保険で利用するサービスにも種々の制限が加わる、年金は年々減る、挙句の果てに周辺の人々に冷たい眼で見られることすらある。これはやはり生き過ぎた仕打ちでしょうか」と、付き添い家族や周辺の人々に遠慮しているかのような小さな声で語り掛ける。

長生きすることは幸せなことで、おめでたいことであったはずの日本文化は、今やどこへ吹く風のように去って行った気配すらする。このご老人の囁きに返す言葉もなく、私は悲しい気分になり、密かに心の中で申しわけないと、このような仕打ちをした社会に変わって、謝って手を合わせることにした。

全国の人口統計では百歳以上の方は万の桁になり、世界に誇れる長寿国日本ではあるが、老人医療や福祉の分野の実態は、このおばあさんの訴えの如く淋しいものがある。経済中心の改革の裏で多くの泣く人々が発生し、長生きする人は申しわけなさそうに生きることになっている。

本来ならば、今や世界の先進国で、平和かつ安全なこの美しい国日本を、長期間、台風被害の時にも、震災のときにも、戦争の時にも守り支え、またその復興のために命をかけて尽くし通した世代が老いてきた今こそ、その苦労の報いを受ける時であって、大切にされ、尊敬され、温かく保護されるべきである。残念ながら、社会はともかくとして家庭の中の介護力も、日本は発展途上国や韓国より、さらに先進国においてもはるかに低い位置に置かれている。

過去の医療保険の改定では、夫婦の年間収入が五二〇万円以上の場合は、医療費の自己負担は現役世代と同じように三割負担となり、介護保険の負担も合わせて増加される。今後の改訂でもさらに負担が高額になる可能性があります。しかし一生働いた挙句受け取る年金が夫婦合わせて食えるかどうかの額になった途端に、現役世代と同じ扱いを受けることは、はなはだおかしいことである。行き場のないお年寄りが長生きすることを悔やむようでは、長寿国として誇れる資格はないと言っても過言ではない。

かつて安倍政権は美しい日本を旗印にスタートし、その目標が国民全体に夢と希望を持たせました。美しい日本は見た目だけでなく、人々の心までを美しくすること、高齢者が安心して長生きできること、お互いに心の通じ合うような社会を作ることこそが、美しい国といえるはずである。うわべだけの美しさではなく、中身の美しさに期待をかけて、今後の日本を見守っていきたい。その実現の折には、きっと先のようなお年寄りも世間や社会に遠慮することなく、幸福に生きられることであろう。

❖認知症（痴呆症）と食生活

最近、日本人の食生活が欧米化していることや日常の生活の中で運動量の低下によって生活習慣病が急速に増加し、種々の慢性疾患の誘因となってきている。一方、社会の高齢化が進むにつれて、認知症（痴呆症）が増加の一途をたどり、最近は約八〇〇～一〇〇〇万人の方がこの状態にあるといわれている。このような異なった問題や疾病がどこかで互いに関連していることや、それぞれの誘因となっていることは普段から検討され、研究されている。

加齢とともに認知症が増加傾向にあり、六五歳以上の方では急速に増してくる。特に八〇～八五歳の人口のうち約七％が重症の認知症（アルツハイマー病）を患い、何らかの痴呆の症状を有するのは全体の二五％（四人に一人）にも達する計算となる。

脳の働きが年齢とともに落ちるのは当然の自然現象であるが、その中でも普段から積極的に頭脳を使う人ほど認知症が少ない。これは脳を使えば使うほど活性化される余力があるためである。

一方、日常生活の中で車などによる移動手段が多くなり慢性の運動不足が生じることや、食生活の欧米化によって生活習慣病が多くなり、徐々に身体機能、特に脳や心機能が衰え、結果的に心筋梗塞、脳梗塞や脳内出血を引き起こす羽目になる。脳神経系のこのような病態によって思考能力が低下し、物事に対する興味が薄れ、積極的に考えることが減るとともに、一般的な社会生活から遠ざかることで認知症が誘発される。

当然のことながら認知症（特にアルツハイマー病）の危険因子として、遺伝的な素因も重要な役割を果たすことは言うまでもないが、日常生活の中でのストレスもこの病態の進行を助長させてしまう。

生活習慣病の予防が、認知症を含む種々の大病の発生率を低下させる。その予防には週三回以上の規則正しい運動の実行、趣味を持つこと、活発な社会生活への参加を果たす役割が重要である。

さらに食生活として栄養素のバランスが大切である。多彩な食物をバランスよく採ることで認知症が予防できると指摘されている。特にビタミン類を多く含む食材を毎日摂取することが大切であり、中でもビタミンB群としてB1、B2、B6、B12や葉酸、そしてビタミンC、βカロチン、ミネラルやカルシウムなどの摂取も大切である。

これらの栄養素は身体を造るだけではなく、脳代謝、思考能力、ストレス解消にも役立つ。野菜、魚介類や果物にこれらのビタミンは多く含まれ、ビタミンEの摂取にも役立つ有用な食材である。

他方では、食事摂取量も重要であり、多過ぎることによって生活習慣病が誘発され、危険因子として働く。一方、摂取量が少な過ぎる（不適切なダエット）ことも逆にバランスを崩し、体力や意欲の低下に繋がり逆効果となる。最近、まだ発達途中の若者が食べる量や質を制限することが多くなり、結果的に貧血、時には栄養失調状態に陥る者もみられ、彼らの遠い将来が心配である。

規則正しい生活、昔から言われている腹八分の摂取量とバランスの良い食生活、そして適切な運動が、長生きと楽しい生活を全うする秘訣である。

4 アフガニスタンが歩んだ道

1　前近代のアフガニスタン

❖アフガニスタンの国土と民族

正式国名「アフガニスタン・イスラム共和国」は、四方を海に囲まれた日本とは全く対照的に、六つの国と国境線を接する内陸国です。六つの国の国名と国境線の長さは次の通り。

パキスタン　二四五〇キロメートル
イラン　九三六　〃
トルクメニスタン　七四四　〃
ウズベキスタン　一三七　〃
タジキスタン　一二〇六　〃
中国　七六　〃

この六カ国はすべてイスラム教国です（中国も接しているのは新疆ウイグル自治区でイスラム教圏）。アフガニスタンももちろん、その国名にイスラムを名乗っているイスラム教国です（大半がスンニー派)。ただし一部にヒンズー教徒もいますし、少数のユダヤ教徒も住んでいます。

アフガニスタンの面積は六五万二一〇〇平方キロメートルで日本の約一・七倍の広さですが、その約三分の一は六〇〇〇メートル級の山岳地帯（ヒンズクッシュ山脈、水の山という意味）で、三分の一が緑地帯（農地）、残りは砂漠のような乾燥地帯で構成されています。

人口は、国勢調査が行われていないため正確な人数はわかりませんが、推定で約四千万人、その約二六％が都市部に、残りが地方に住んでいます。かつては多くの人々が戦争の犠牲になっており、平均年齢は四〇～四五歳の時期もありましたが、今は六三歳まで改善されました。一四歳未満の子どもたちが人口の四四％を占めており、一五歳以上は五六％です。

六つの国と国境を接していることからも類推できるように、アフガニスタンは多民族国家です。その民族構成は、最も多数を占めるパシュトウン人が四二％、次にタジク人が二七％、ハザラ人九％、ウズベク人が九％、その他が一三％となっています。

日常使っている言語は各民族によって異なりますが、公用語としてはパシュトゥ語とダリ語が使用されています。ダリ語はペルシャ語の一方言です。地図で見るようにアフガニスタンの西の国境線はイラン、つまり旧名ペルシャと接していますが、そこで使われているペルシャ語の方言がアフガニスタンやタジキスタンの一部でも使われているのです。

経済・産業ですが、労働人口の約四四％が農業、一八％が産業、二六％がサービス業に従事しています。もともと農業国のアフガニスタンは、一九七〇年代まではほとんどの種類の穀物が収穫でき、食糧の自給自足が可能でした。とくにヒンズクッシュ山脈の万年雪は大量の水を提供し、周辺に広がる緑地帯を潤《うるお》して、豊かな収穫を約束していました。

しかし、長い長い戦乱によって現在は国土のほとんどが地雷におおわれ、耕作を放棄された農地は荒廃して、緑地は極度に減ってしまいました。

農業以外の主な産業としては、北部では天然ガスが産出され、中心部では石炭の他に銀や銅、ラピスラズリ（瑠璃石・黄金石）や雪花石膏などがとれ、このような鉱物や絹を使った手工芸品が多く、アフガニスタン絨毯《じゅうたん》とともに世界のマーケットを賑わせていましたが、それも今では遠い昔の話となってしまいました。

❖シルクロードの交差点

歴史的かつ地理的なアフガニスタンの位置をひと言でいうなら、「アジア大陸の文化の十字路」、あるいは「シルクロードの交差点」ということになるでしょう。西へ向かえば、ペルシャ（イラン）をへてギリシャに至り、東へ向かうと中国に達し、南へ進むとインドに入って行き、北に行くと中央アジアの遊牧民と出会うことになります。じっさい、一三世紀にはチンギス・ハーンの侵略を受け、その殺戮と破壊によってシャーリ・グリグラ（嘆きの町）を生み出すのです。

多様な民族が行き交ったこの地は、「文化の十字路」でした。紀元前四世紀、ペルシャを滅ぼし、ここを通ってインドへ向かったアレクサンドロス大王の遠征はヘレニズム文化を生み、そのあとインドからやってきた仏教はバーミヤンの巨大石仏を生むとともに中国など東方に仏教が伝来してゆく基地となりました。

その後、七世紀にはアラブ人によってイスラム教の布教がすすみ、この地も西アジアに広がったイスラム文化圏の一角を占めることになるのです。

❖「アフガニスタン国」の誕生

アフガニスタンは「アフガン人の住む土地」という意味ですが、このアフガニスタンが国名としてはじめて登場するのは一八世紀の半ば、一七四七年のことです。それまでは族長を中心に部族ごとに各地に分散して暮らしており、国というまとまりを持つものはなかったのです。

ところが一七三八年、西隣りのペルシャの王、ナーディル・アフシャールが東方征服をくわだててから事態が変わります。彼はカンダハールやカーブルを落とした後、インドに攻め込み、首都デリーを陥落させて四七年に帰国するのですが、家臣の手によってあえなく暗殺されてしまいます。

ナーディル・アフシャールの軍の中で勇将として知られていたのはアフガニスタン人のアフマド・ハーンでした。王の死後、かれは故郷のカンダハールに帰り、ロヤ・ジルガ（族長会議）でアフガニスタンの盟主に選出されます。彼が選ばれたのは、勇敢な戦士であるとともに詩人であるというアフガニスタン人の美徳を兼ね備えていたからだといわれます。

シャー（王）の称号を得てアフマド・シャーとなった彼は、カンダハールを首都に「アフガニスタン国」を建国します。その後、アフマド・シャーは、四方に軍を進めて国土を拡大、制覇した地方からの富をカンダハールに集め、反乱を起こしそうな部族の族長はカンダハールに住まわせて統一国家の基礎を築きました。そのためこの初代の王は、国民の父としての敬愛を込めて「ババ（父）」と呼ばれることになります。

アフマド・シャーの後は第二子のティムールが王位を継ぎ、首都をカーブルに移します。以後、この王朝は二〇世紀後半の一九七八年まで二三二年もの間つづきました。二三二年間といえば、徳川家康が幕府を開いた一六〇三年から一八六七年の大政奉還まで、日本の江戸時代二六五年にほぼ匹敵します。

2　近代国家への道

❖イギリスとの第一次・第二次戦争

一九世紀に入り、内陸国だったアフガニスタンも、他の沿岸のアジア諸国と同様に帝国主義諸国からの脅威にさらされることになります。

アフガニスタンにとっての最初の脅威はイギリスでした。イギリスが東インド会社をつくったのは一六〇〇年ですが、以後、チャンスをうかがいながらインドへの進出と支配を強め、一八世紀半ばにはインドでの支配的地位を確立します。

現在はインドとパキスタンは別々の国ですが、両国が分離したのは第二次世界大戦後の一九四七年八月の分離独立からで、それまでは現在のパキスタンはインドの領域とアフガニスタンの東南の一部に含まれていました。したがって、アフガニスタンはインドと直接国境を接していたのです。地政学的に見れば、インドを植民地支配するイギリスによって、アフガニスタンは東南から押し上げられる位置関係にありました。

一方、ロシア帝国は、ユーラシア大陸の東でも西でも、南方への出口を求めて南下の機会をねらっていました。そのロシアの南下を防ぎ止め、押し戻す地帯として、イギリスはアフガニスタンを自らの支配下におこうともくろんだのです。

イギリスは実に三度にわたってアフガニスタンに攻め込みました。第一回目は一八三八年から四二年で、王位をめぐる王家内部の争いにつけ込み、イギリスは軍をカーブルに送り込みました。

これに対し、アフガニスタンの諸部族は「異教徒との聖戦」に立ち上がって奮戦し、四二年一月、イギリス・インド軍戦闘員約五〇〇〇名、非戦闘員一万二〇〇〇名がカーブルからジャララバードに撤退する途中、峡谷を選んで襲いかかり、全滅させたのでした。生き残ったのは軍医がただ一人だけだったと伝えられています。

同じ一八四二年、アヘン戦争を仕掛けたイギリスは、軍艦からの砲撃で清国を屈服させ、南京条約で香港を略取します。しかし内陸のアフガニスタンでは、そのイギリス軍もアフガニスタン人のゲリラ戦には太刀打ちできなかったのです。こうしてイギリス軍を撃退したものの、北方からはロシアが迫っていました。一八七三年、ロシアは現在のウズベキスタン南部のサマルカンドやブハラを占領し、カーブルに力ずくで大使館を設置しました。

これを見て、イギリスも大使館の設立を要求してきましたが、アフガニスタンが拒否したため、一八七八年、イギリスは最後通牒を突きつけ、再び侵攻してきました。これに対し、アフガニスタンの諸部族は敢然と立ち向かい、八〇年、カンダハール西方のマイワンドで撃破したのです。この戦いは第一次戦争の勝利がゲリラ戦によるものだったのに対し、平原で正面から対戦した会戦での堂々たる勝利でした。

この戦闘から三〇年近く後になりますが、マイワンドの戦いを指揮したアッユーブ・ハーンは日露戦争後の一九〇七年二月、日本海軍の軍艦・河内丸で日本を訪れ、神戸、横浜などを視察します。彼はイギリス軍を破った英雄として東郷平八郎に迎えられ、日本海海戦の第二艦隊長官・上村彦之丞や乃木希典《まれすけ》などと語り合いました。そのさい、日露戦争で負傷して障害を負った兵士を東京廃兵院に見舞って二〇〇円を寄付したという記録が残されています。

❖近代化をめざして

二度にわたる侵攻に失敗したイギリスは、方向を転換します。アフガニスタンを支配下に置くことはあきらめ、逆に財政的な援助によって国情を安定させ、ロシアの南下を防ぐ緩衝地帯とすることにしたのです。

一方、アフガニスタンのほうにも、アブドゥール・ラフマンという強いリーダーシップを持った国王が現れました。国王は国軍を創設して国内の反乱を制圧し、イスラム教にもとづいた憲法や関連法規を制定、貨幣を鋳造して銀行制度を設立するなど、近代的な国づくりへと踏み出していったのです。この時期はちょうど日本の明治時代と重なることから、多くのアフガニスタン人は「アフガニスタンと日本は同時に生まれ変わった」と認識しており、その点でも日本に親しみを感じているのです。

しかしアブドゥール・ラフマンは、一つだけ大きな失敗をしました。一八九三年、イギリスとの間で「デュランド・ライン」と呼ばれる英領インドとの境界を画定する条約に調印したことです。イギリス側交渉団の代表の名をとったこの国境線は、現在のアフガニスタンとパキスタンの国境線にあたり、これによってパシュトゥン族の住むアフガニスタン南部の約三分の一がインド領となり、パシュトゥン族の居住する地域は二つに分断されてしまったのです。

しかし、分断された後も暮らしや文化に変化はなく、現在もパシュトゥン族としての一体感は保たれています。そのことが今日のタリバンをめぐる状況を複雑にしているのですが、その遠因はこのイギリスによる国境画定にあるのです。

ただしこの条約の効力は一〇〇年と定められており、本来なら租借期限九九年だった香港やマカオと同じように一九九三年に破棄されるものだったのですが、第二次世界大戦後にパキスタンがインドから分離独立したため、この条約の期限が宙に浮いてしまったのです。

一九〇一年、アブドゥール・ラフマンが死去し、長男のアミール・ハブビッラーが即位します。彼は父王と同じ近代化の路線を踏襲し、教育制度を整備し、文化をだいじにする政治をすすめました。たいした混乱も生じず、平和がつづく中で最初の日刊新聞『セラージ・ウル・アクバール』などが発行されて一般市民に愛読されるようになり、またゴルフやサッカーも盛んに楽しまれるようになりました。

❖第三次アフガニスタン・イギリス戦争

一九一四年に勃発した第一次世界大戦では、トルコやドイツがアフガニスタンに対し、反イギリス（反連合国）の側で参戦するよう迫りましたが、ハブビッラーは中立の立場を貫きました。しかし、このように好意的な態度を示したにもかかわらず、インド駐留イギリス軍はハブビッラーを好ましい人物と見なさず、一九一九年二月にハブビッラーは、イギリス軍のさしがねによってジャララバードで暗殺されてしまいました。

ハブビッラーの死後はただちに第三子のアマヌッラー・ハーンが王位に就き、同年五月、ハイバル峠の南方でナーディル・ハーン将軍（後に王となる）が率いるアフガニスタン軍とイギリス軍の戦争が始まります。イギリスとの第三次戦争です。

足かけ五年にわたる世界大戦でかろうじて戦勝国とはなったものの、イギリスの国力は疲弊しきっていました。アフガニスタン軍が国境南部のパシュトゥン部族を集結させたことで、イギリスは戦火がインドに拡大するのを恐れ、八月、ラワルピンディ条約を結んで、イギリスは財政的援助を含めアフガニスタンからいっさい手を引くことを認めました。つまり、アフガニスタンの完全な独立を承認したのです。一八七九年のガンダマク条約（注・アフガニスタンの一切の外交権をイギリスに任せ、南部を割譲する）でイギリスに押さえられていた外交権も、回復しました。

第一次大戦のさなか、ロシアで世界史上最初の社会主義革命が起こりました。ロシア革命です。レーニン主義の炎が北隣りのウズベキスタンまで燃え広がってきたことで、アフガニスタンの王族は危機感をつのらせ、早期に友好条約の締結を急ぐための手段を模索しました。その結果、アフガニスタンがイスラム圏の中でトルコを除いて最初の独立国家となったことをアピールし、イギリス軍の北上に対する〝砦〟の役割を強調することで、一九二〇年、ソ連との間に平和と不可侵条約を締結したのでした。

一方、国内では、アマヌッラー・ハーンはアフガニスタンのさらなる近代化をめざして民主化や女性の地位向上を掲げ、国際的な地位を確立するためにヨーロッパの各国と親密な関係を築くことをめざしました。はじめにフランス、イタリア、ドイツと外交関係を築き、次にトルコと不可侵条約を締結、一九二一年には隣国ペルシャとも条約を結びました。

教育制度も改革され、女性の教育が開始されました。それまで顔を隠していた女性には、ブルカ（チャダリ）を脱ぐよう指令が出されました。また一九二四年にはロヤ・ジルガ（部族長会議）が開かれ、より近代的な憲法が制定・承認されました。

❖国内の改革と国際社会への登場

こうした近代化への急速な変化について行けない一部の宗教指導者が、イギリスの支援を受けて反乱を起こし、それに巻き込まれたアマヌッラー・ハーンが王位を剥奪されてイタリアへ亡命したのは、一九二九年のことでした。その間隙をついて盗賊出身のバッチャ・イエ・サカーオが南部での反乱を利用し、カーブルで王位継承を宣言、学校の閉鎖に加えて博物館の貴重な財産を略奪するなどの暴行をはたらきます。

しかし同年一〇月、フランスに亡命していたナーディル・ハーン将軍が祖国に戻り、南部の部族を説得して彼らの支援でカーブルを制圧、サカーオを捕らえて処刑しました。代わってナーディル・ハーンは王位に就き、ナーディル・シャーを名乗ることになります。

ナーディル・シャーは、フランスでの亡命時代にヨーロッパの政治や学問を学んでいましたが、アマヌッラー・ハーンの性急な近代化が国民の反発を招いたことを考慮し、新たな方法での改革推進の道を探りました。

アフガニスタンでは古くからイスラム教が民衆の生活や社会秩序の基盤でした。そこで、憲法の解釈と説明をイスラム法に基づいて国民に説き、学校教育を再開（女子教育はしばらく停止されていた）、博物館を再興し、農業、工業、商業の発展をうながし、銀行制度を再整備、貿易の合弁会社設立などに取り組みました。

一九三〇年にはロンドンで、日本・アフガニスタン修好条約が締結されましたが、アフガニスタンの存在を国際社会に広くアピールしたいというのがナーディル・シャーの政策の重要な柱でもありました。

この時代には急進派の政党も創設されましたが、それに対するソ連からの密かな支援に政府は神経をとがらせていたので完全に自由な政党政治には至りませんでした。最終的にはこの急進派の処刑がナーディル・シャーの命取りとなり、一九三三年一一月に報復襲撃で暗殺されます。

王権争いを回避するために、ナーディル・シャーが没したその日のうちに、彼のただ一人の息子ザーヒル・シャーが一九歳の若さで即位し、彼の叔父三人が実権をにぎって政治を運営することになり、その中でも政治的手腕に優れていたハーシム・ハーンが首相格となって国の舵《かじ》取りを行います。改革派と伝統派の間を上手に取り持つことで実権を掌握したハーシム・ハーンは国際的にも大きな評価を受けました。国内ではパシュトウ語とダリ語（ペルシャ語の一方言）を公用語として確定、限定付きではあったものの表現の自由を認め、また水力発電や道路建設による交通網の整備が彼の指導で推し進められました。

しかしこれらの大事業はアフガニスタン単独で遂行できるはずはなく、ドイツをはじめ、ソ連を含むヨーロッパの国に加えてアメリカの援助も大いに必要でした。その継続のためにも、一九三九年に勃発した第二次世界大戦ではアフガニスタンは「中立」を守りました。

そのほかハーシム・ハーンの業績で評価すべきことに、一九三四年の国際連盟への加入や一九三七年のトルコ、イラン、イラクの間での不干渉・不可侵条約の締結があります。これはまた大国に対する地域協定でもありました。またこの時期から、農業を主産業とするアフガニスタンで土地改良がすすめられ（完全に成功したわけではありませんが）、国民皆保険（すべての医療費無料）や無償での学校教育が取り組まれました。

❖ザーヒル・シャーの改革と挫折

一九四五年、五月のドイツの敗北に続いて八月、日本の降伏によって第二次世界大戦は終わります。その翌四六年、ハーシム・ハーンは亡くなり、首相の座は弟のシャー・マフムードに引き継がれました。

彼の時代の大きな出来事は、何と言っても一九四七年八月のパキスタン独立国家の樹立です。

このパキスタンの出現という大変動はアフガニスタン国内の民主化運動を突き動かし、急進派の改革要求が最高潮に達しました。政府は一時この運動を静観していましたが、これ以上放置すれば体制の土台を揺るがしかねないと判断して鎮圧にかかります。これで民主化が遅れるとともに、シャー・マフムード体制にも終止符が打たれることとなりました。

次の首相には、改革派で国民的に人気の高かったムハンマド・ダーウド・ハーンが選出されました。彼はザーヒル・シャー国王の従兄で、パリで教育を受け、カンダハール州知事、防衛大臣、教育大臣などを歴任した経験豊かな政治家です。その経験を生かして、ダーウドは国内では教育に力をそそぎ、外交では隣国や大国との関係を強化しました。

また国軍を強化するためにソ連式の軍事訓練を取り入れて最新の武器の支援を受け、一九五五年には中国とも国交を樹立しました。国際的には一九六一年に第一回が開かれた非同盟諸国会議の発足にも貢献しました。

この時代は米ソ両陣営が世界を真二つに割って対峙した冷戦の時代です。中央アジア諸国がソ連邦内に組み込まれたのに対し、アメリカはパキスタンを軍事的・経済的に支援して西側の陣営に組み入れました。それに対抗してソ連は、パキスタンと長い国境線を接するアフガニスタンを支援することになります。

かつて、植民地インドを確保しようとするイギリスと、南下をもくろむロシアがアフガニスタンをはさんでにらみ合ったように、今度はアメリカとソ連がにらみ合い、その対立のはざまにアフガニスタンは置かれたのです。

アメリカを後ろ盾に、パキスタンはアフガニスタンとの国境を封鎖し、アフガニスタンを経済的窮地に追い込みました。一方、ソ連からの圧力も日増しに強まったことから、一九六三年、ムハンマド・ダーウド・ハーン首相は辞職します。

ここではじめてザーヒル・シャー国王は一族の介入を免れ、自前の政策を打ち出せるようになりました。そこで非王族のユスフ鉱業工業大臣を首相に任命し、旧憲法の改正を命じます。一年間をかけて新憲法の素案をまとめて、一九六四年九月にロヤ・ジルガ（国民代表者会議）を招集し、総選挙を行いました。

アフガニスタンの国会は、日本と同様に衆議院と参議院からなります。民主化が進むなか国際的な援助や借款によって工業は盛んとなり、農産物の生産量も増えました。交通量が増えて、世界中から観光客がやってくるようになり、治安は世界のどの都市よりも安全という評判さえ聞かれました。

高等教育にも力を入れたため、学生の層も広がりました。ところが皮肉なことに、学生数が増えるにつれ学生運動も盛んになり、学生のデモに対し軍隊が発砲して三名の死者を出す悲劇が生じ、それがきっかけでユスフ内閣に対して国民の反発が激しさを増しました。結局ユスフ内閣は崩壊してしまいます。

3　王政から共和制へ

ダーウド・ハーンの無血クーデター

一九六五年、ユスフの後、ムハンマド・ハシム・マイワンドワールが首相となりました。日本ではその前年に東京オリンピックが開催され、新幹線が走り出したころです。アフガニスタンでは多くの政党が生まれて互いの主張を競い合い、その中で社会主義の党も活動を開始しました。

しかし、政治的にも経済的にも自由化がすすむ中、次第に地域間の格差が広がり、観光客の訪れる地域や都市部が繁栄する一方で、地方は経済的苦境に追い込まれる羽目になりました。ちょうど現在の日本で生じている状況と同じです。そうした中、人々の政治不信が深まり、革命的変化を望む共産主義の思想が若者の多くをとらえるようになりました。

一九七三年夏、ザーヒル・シャー国王が眼科の治療でイタリアに滞在中に無血クーデターが起こります。一〇年前に首相を辞職したムハンマド・ダーウド・ハーンがソ連派の軍人の助力を受けて再び権力を掌握、王政を廃止して「アフガニスタン共和国」の設立を宣言したのです。

しかし、背後にソ連の影がちらつき、親共産主義と見られたこの政権に対して、イスラム指導者たちが反対運動を起こします。

一方、政権中枢部にあった親ソ連派の指導者や閣僚は、再度、反パキスタン運動を始めます。これに対してパキスタン政府は、アフガニスタン国内の反体制派や宗教指導者を後方支援し、亀裂を深めさせていきました。

一九七五年、憲法改正のロヤ・ジルガが招集され、国王に関する条項を削除して大統領制を導入し、ムハンマド・ダーウド・ハーンを正式の大統領に選出しました。この憲法では、男女平等、人種や宗教差別撤廃、鉱山資源や銀行の国有化、一八歳以上の選挙権が定められましたが、ロヤ・ジルガでは社会主義や共産主義に対する反発が強く、後に火種を残すことになりました。

このように民主化とあわせて社会主義的政策を憲法に取り入れたものの、大統領と親ソ連派政党(人民民主党)との間の溝は日に日に深まり、その背後にひかえるソ連政府とも関係が悪化し、ついにダーウド・ハーンは人民民主党幹部を政府から排除するようになります。これに対し、無血クーデターでの協力者だった軍幹部が暴動を起こし、一九七八年四月、ダーウド・ハーン大統領はその子どもを含む家族全員とともに大統領官邸で殺害されてしまったのでした。

人民民主党の政権と内部抗争

大統領を抹殺して政権を掌握した人民民主党は、ヌール・ムハンマド・タラキーを革命評議会議長兼首相に指名し、バブラク・カルマルを副議長兼副首相、ハフィーズッラー・アミンを副首相兼外相として、多くのソ連人の顧問を招き入れ、共産主義を国づくりの基本にすえて「アフガニスタン民主共和国」の成立を発表しました。

しかし、進歩的で理想的に見えるこの方針も、厳格なイスラム教を信じるアフガニスタン国民には受け入れがたいものであり、加えて宗教的指導者への抑圧が国民の反発を強めたのでした。一〇月七日のソ連の革命記念日に、赤旗をかかげて大通りを練り歩くことは、一般国民の感情を逆なですることでもありました。

一九七九年二月にはアメリカ大使が誘拐、殺害されるという事件が起こります。治安が悪化し、各地で暴動が発生しました。またこの年一月には隣国イランでイスラム革命が起こり、国王を国外退去させるとともにイスラム共和国を誕生させていました。

同年三月、アミンが首相に昇格、タラキー革命評議会議長との対立が深まります。もともと人民民主党の内部には拮抗する二つの派閥があり、鋭く対立していたのです。九月、アミンはついに議長官邸を包囲して密かにタラキーを殺害、アミンは大統領となって政権を掌握します。全国の暴動はことごとく鎮圧され、活動家や指導者数千人が殺され、多くの市民や政治家が投獄されました。こうしてアミンは強権をもって国を制圧したものの、モスクワの疑念を招いて、わずか三カ月で排除されてしまったのでした。

4　戦乱の四〇年

❖ソ連軍の侵攻

アミンがソ連によって排除された理由の一つに、かつてダーウドもそうしたように、アメリカに接近し、米ソ間でバランスをとっていこうとしたということが挙げられます。もちろんそれはソ連にとって許せないことでした。この年一二月、一年前に締結していた「ソ連・アフガニスタン善隣協力条約」にもとづき、共産主義政権を内部崩壊から救うためという名目でソ連軍がアフガニスタンに侵攻、カーブルの大統領宮殿を包囲、アミンを葬ったのです。

そして、内部抗争に敗れてソ連に亡命していたバブラク・カルマル前副首相を革命評議会議長の座にすえて傀儡政権を成立させました。以後ずっとカルマル政権が続きます。

ソ連軍一〇万人によるアフガニスタン侵攻が始まったのは一九七九年一二月二七日でした。このソ連軍が侵攻してきた当座は、一般市民の多くは自分たちの国の中枢で何が起きたのか、事情がよくわからず戸惑っていましたが、事態が明らかになるにつれて、徐々にソ連軍への憎しみが深まり、抵抗意識が強まっていきました。アフガニスタン国軍の中からも脱出してゲリラ部隊に加わる兵士が増えていきました。

一方、ソ連軍兵士の士気も高まりませんでした。それは当初派兵された兵士のほとんどは、同じイスラム圏の中央アジア出身兵だったからです。彼らは「アフガニスタンが西欧の軍隊とテロに襲われたために助けに行くのだ」と教えられていましたが、実際のアフガニスタンでの戦いは同じイスラム教徒との戦いでした。それゆえ、ソ連軍の兵士の中には戦線から離脱するものが少なくありませんでしたし、アフガニスタン側に寝返って武器を提供することさえありました。

❖ ムジャヒディンの「聖戦」

ソ連の軍事進攻に対し、アメリカをはじめ国際社会はいっせいにこの行為を非難し、一九八〇年に開催されたモスクワ・オリンピックでは日本を含め多くの西側の国がボイコットに出ました。非難声明等も出されました。しかし実際に行動を起こす国はありませんでした。

ところで、ダーウド政権を倒して成立した人民民主党政権は、イスラム教の法を無視した形で土地改革を行い、それが混乱を招いて農民の生活を窮地に追い込んでいました。これまでアフガニスタンでは伝統的に、その年に収穫された農作物のうち、三分の一は地主に、三分の一は小作人に、そして残りの三分の一がザカート（喜捨）や税金に充てられることになっていました。

新たな政策ではこの分配関係が崩されたため、農民は誰もが戸惑い、混乱しました。この戸惑いが政府に対する反感を増殖し、共産主義が反イスラム指向であることが次第に国民の中に浸透して反政府運動を助長することになったのです。

最も強く反発したのは、当然のことながらイスラム教の指導者たちでした。彼らはこの戦いを反イスラムへの戦争と位置づけて、「ジハード（聖戦）」と呼び、それが多くのイスラム教徒を戦場へと駆り立てることになりました。ジハードを戦う戦士は「ムジャヒディン（イスラム戦士）」と呼ばれました。

この戦いを、ソ連の側から見ると、それは歴史的なロシアの南下政策の一つにほかなりません。インド洋につらなる道の確保は軍事的にきわめて重要であるとともに〝石油の道〟を確保する上でも重要でした。

一方これを、アメリカ側から見れば、それが脅威ととらえられることも明白でした。

したがってムジャヒディンのこの反政府・反ソ連軍の戦いをアメリカが支援するのも、〝冷戦の論理〟からすれば当然でした。アメリカは謀略機関ＣＩＡを通じてアフガニスタン国内だけでなくパキスタンやイランにも出入りしながらゲリラ戦を続けていたムジャヒディンに、携帯式ミサイル「スティンガー」などの新鋭兵器を大量に供与するとともに、その兵器を使っての訓練まで行ったのです。多くの訓練キャンプが設置され、多くの戦士が訓練されました。オサマ・ビン・ラディンがこの時期にこの基地の一つで訓練を受けた一人であることは、紛れもない事実です。オサマ・ビン・ラディンの行動はその意味で「アメリカが撒《ま》いた種」にほかならないのです。

しかし、このムジャヒディンは全体が統一されていたわけではありませんでした。ゲリラはスンニー派七派、シーア派八派からなっていたといわれます。そしてシーア派は、シーア派の国イランから多くの資金や協力を受けていました。この分立状態のため戦略戦術が一定しておらず、それがかえってソ連軍を困惑させたといいます。

しかし、この分立状態こそが、ソ連軍撤退後、アフガニスタンの進路を決定する際に新たな対立を生み出す最大要因となるのですが、それはまだ後のことです。

ソ連侵攻一〇年の深い傷

一九八六年、ソ連は、アフガニスタン国民の間での評判が最悪だったバブラク・カルマルを見捨て、秘密警察長官のナジブラ・アフマドザイに政権を委ねます。彼は新憲法で国名を「アフガニスタン共和国」と改め、革命評議会議長を大統領に戻して共産主義のイメージを一掃しようとしますが、基本的には大きな変化は生じませんでした。ナジブラはパシュトゥン族の出身だったので、パシュトゥン人を巻き込んだ対話の戦略に出ましたが、ムジャヒディンはそれを受け入れず、逆に抵抗を強めます。ソ連軍も部分撤退や一時停戦を申し出ましたが効果はありませんでした。

一九八五年、ソ連には「新思考」を標榜するゴルバチョフ書記長が登場していました。ペレストロイカ（建て直し）をすすめたゴルバチョフ政権はアフガニスタン戦争を否定的に評価し、八八年にジュネーブでソ連軍の撤退に合意、翌八九年にはそれを実行しました。

アフガニスタン侵攻は結果としてソ連の経済状態を悪化させ、九一年のソ連邦崩壊の要因の一つとなりました。八九年に撤退するまでの一〇年間、ソ連は総計三〇～三五万の兵力を注ぎ込みましたが、その結果、三万五千人のソ連兵と、約一五〇万人のアフガニスタン人の命が失われるとともに、六百万人ものアフガニスタン人が国内外で難民となってしまいました。しかも後にはアフガニスタンの各地で約二千万個の地雷が取り残され、国際社会の努力によって除去された今もなお八百万個が残され、毎日のようにその犠牲者が出ています。

これらの地雷は一般市民の生活の場、道端や田畑に残されたままになっており、日常生活の妨げになっています。また、ソ連軍はヘリコプターから「玩具爆弾」と呼ばれたプラスチック製の小型地雷を投下しましたが、子どもが触れることが多く、いまだに障害を生み出しているのです。

❖ ムジャヒディンの派閥抗争

ソ連軍の撤退を前に、ナジブラはアフガニスタンの将来について次のように語ったといいます。

「アフガニスタン、米国そして文明世界は、原理主義に対していっしょに戦うという共通の任務を背負っている。もし原理主義がアフガニスタンに押し寄せてくれれば、何年も戦争が続き、アフガニスタンは世界的に麻薬の温床となり、そしてテロの発信地となるであろう」

その時点では、まさかそれが現実となると思った人はいなかったでしょう。しかし、やがてそれが現実となってゆくのです。

一九九二年、ナジブラ政権に最初に見切りをつけて離反し、ムジャヒディンのイスラム協会派（ラバニ派）司令官のアフマド・シャー・マスードと連携を深めたのは、ラシード・ドストム将軍でした。この両者の同盟が、後に結成される「北部同盟」の核となります。

ナジブラ政権が下り坂になるにつれて、ムジャヒディンは多くの地域でそれぞれの部族の司令官や政府高官と同盟関係をつくり、政権奪取後の役職の割り振りと引き替えに、大砲や戦車、さらにジェット戦闘機などの武器、弾薬を手に入れたのです。この裏契約においては、特にマスードが長《た》けていました。彼はソ連支配時代から、軍の車列がサランの要衝を無事に通過させるのを保障することを条件に、ソ連軍から大量の武器や金銭を得ていました。このようにしてムジャヒディンは各地域や都市を戦略的に掌握できるよう準備していたのです。

一九九二年八月、パキスタンで活動していたムジャヒディン七派と、北部でマスードが指揮していたグループがカーブルを掌握しました。ナジブラは国外脱出を試みましたが空港で捕まりそうになったため、カーブルに戻って国連機関に保護を求めました。

これを機に、政権奪還を夢見ていたムジャヒディン各派は、自分たちこそが先頭に立つべき集団であると確信し、互いに譲ることはしませんでした。人数が多かったヘクマティヤル派は、当然自派が支配的立場に立つべきだと主張しましたが、他の六派、とくにマスード派は頑強に反対しました。

この政権争いは、結局、当座は各派閥の首領が三カ月交代で大統領に就き、一年後に政情が安定した時点で選挙を行って改めて新大統領を選出するということで決着しました。

この約束に従って、年齢の順で最初にギラニーが大統領の座につき、首相にはヘクマティヤルが就任しました。そして次の三カ月間サヤーフが大統領を務めた後、三番目のラバニが大統領になると、国防大臣のマスードと結託して約束を破り、政権は当分譲らないと宣言したのです。

こうして、各派閥間の血みどろの抗争の幕が切って落とされました。なお、この大統領のたらい回しはスンニー派七派閥の間だけであり、当然シーアの八派閥も政権奪取を狙っていたため、争いはスンニー派、シーア派入り乱れての乱戦となりました。

この派閥抗争の中で、一九九三年二月、マスードの政府軍がハザラ族の居住地域、ハザラジャートの郊外にあるアフシャール地区に入り、地元の伝えによると、老人、女性、子どもの首はおろか犬の首まではねて、市民約一千人を惨殺し、井戸の中に放り込んだといいます。後にこの事実は、アムネスティ・インターナショナルの報告でも指摘されました。

一方、そのハザラ族のマザリ派（後ハリリ派に変更）は、政権入りや首都の占領に後れをとったので、カーブル市内の中央部から西側を占領し、富豪層を家々から追い出し、そこに無断で立ち入る者は問答無用で殺し、またある者は、首をはねた後に火をつけて体がもがいて踊るように見えるのを「死の踊り」と称して楽しんだといいます。まったく残虐きわまりない光景があちこちに繰り広げられたのです。

こうした中、ヘクマティヤル派はラバニやマスードが占領していたカーブル市を迫撃砲やミサイルで攻撃します。その結果、共産主義政権時代にも首都として唯一市街の形をとどめていたこの街も崩壊します。一方、地方ではそれぞれの地域を支配する軍閥が猛威を振るって、略奪、暴行、殺戮を繰り返したために、アフガニスタン全土で五〇万人もの犠牲者を生み出します。そして国民のほとんどが国外を含む避難民となりました。

アフガニスタンがこのような惨状を呈していたのに対し、国際社会は手を差しのべるどころか、大量の武器や弾薬を提供してこの残酷な内戦を煽《あお》り立てることさえしたのです。アフガニスタン国民は神以外に頼るすべはなく、天の助けを待つばかりでした。

タリバンの登場

このようにアフガニスタンが救いようのない状況に陥っていた中、一九九四年一〇月に世直し軍団としてカンダハールに現れたのが「タリバン」の一派でした。当時、ムジャヒディンの一人であったムッラー・モハンマド・オマルが、村の女性二人が地方司令官にレイプされたのを見て、神学生集団＝タリバンのグループ二二名を動員してその地方司令官を殺したのがこの運動の始まりと言われています。地方司令官の暴虐に耐えていた村人にとって、この行為は感動的であり、被害者の反乱として、一般の住民はタリバンを支援するようになりました。タリバンは次第に勢力を拡大し、カンダハールの都市部に手を伸ばすまでになりました。

当時、カンダハール市内は異なった組織の司令官三名が支配していました。市民たちは三派による強奪と殺戮、レイプにおののく日を送っていました。そうした市民たちに風の便りで伝わってきた、コーランを手に秩序の回復を叫んでたたかう神学生集団はまさに救世主と思われたでしょう。この情報をキャッチした隣国パキスタンの政府は、チャンスを見逃しませんでした。ムッラー・モハマッド・オマルへの支援を発表し、国境のスピン・ボルダックを通って大量の武器、食糧とともにISI（パキスタン軍統合情報部）の一部が応援に駆け付けました。

彼らはわずか三日間の戦闘でカンダハールを陥落させます。その後、カンダハールの秩序を守るために六名のシューラ（長老組織）が結成され、道路に築かれていたバリケードの撤去、すべての武器の撤収、犯罪と麻薬の撲滅、女性の安全を守るための厳格な外出禁止、一日五回のイスラム法にのっとったお祈りの施行などが布告されました。殺人者、泥棒、麻薬売人になり下がったムジャヒディンの追放と処罰の実行が宣言されました。

一般市民にとって、この厳格な戒律を守るのは厳しいという認識はもちろんありましたが、何年も無法状態が続いていたことを考えると、タリバンの政策は最大限に歓迎されました。人々はやっと安心して暮らすことができるようになったのです。

一九九五年になると、タリバンは刀狩りに成功しただけでなく、国境沿いにあったヘクマティヤル派の武器の隠れ倉庫をISIの情報により見つけ出して、大量の武器を獲得しました。また人員も二万から二万五千人に増えて、首都カーブルへの攻撃を計画するまでになりました。

カーブルやパルワンを支配していたのはマスードのイスラム協会派であり、それに対し、カーブル南部のローガル地区からジャララバードまではヘクマティヤルが支配していました。この状況の中で国際援助機関はもはや市内で活動することができず、国際赤十字委員会のピーター・ストーカー現地総裁は、「今やカーブルでの生活は地獄化している」と言い残して国外に去りました。

国際機関にも見放されたカーブルやその周辺の住民は、カンダハールの治安回復を伝え聞いてタリバンの進攻を心待ちにしていました。マイケル・グリフィンは著書『誰がタリバンを育てたのか』（邦訳・大月書店）でこう記載しています。

《この（注・タリバンの）軍隊には国を占領するという将来への明確な目標（欲望）などはなく、一般の兵士は純粋さと忠誠心によって大きく目を見開いていた。自分達は何のために戦っているのかをちゃんと知って、アラー・アクバルを唱えながら無心にカーブルに突進していた。タリバン軍は規律正しく、幼いころからマドラッサ（神学校）で学生に叩き込まれてきた規律と服従を反映していた。彼らは何のために戦っているのかを正確に知っていて、ムジャヒディン時代のようなレイプや略奪はしなかった》

❖タリバン政権の成立

一九九六年九月、タリバンがカーブルをほとんど無抵抗で占領しました。このカーブル占領直後、タリバンは国連の施設に潜伏していたナジブラ前大統領を引っ張り出し、一般市民の目前で公開処刑しました。この事件が国際的に「タリバン＝野蛮人」であるという印象を与え、その後の評判を決定付けました。しかしまた、これは、ほかのムジャヒディンの首領や軍閥への見せしめではなかったかとも言われています。

ムジャヒディン時代には通貨が不統一で、ラバニ派はロシア軍の援助でアフガニ紙幣を刷り、ヘクマティヤル派はパキスタンで自分らの紙幣を印刷させ、北部ではドストム将軍が北部アフガニ紙幣を印刷して、その金で兵士を募集していました。

一九九六年にはマスードがヘクマティヤルに二〇〇万ドルをキャッシュで渡して、パキスタンで志願兵を募ったとされています。タリバンはこうした状態をやめさせ、統一した紙幣を使うように改めさせた結果、軍閥の紙幣の価値は失われることになりました。

タリバンは外国からも支援を受けました。直接には先にも触れたようにパキスタンから支援されたほか、資金面では米国とサウジアラビアから後方支援を受けました。その後（九八年）タリバン政権の「アフガニスタン・イスラム首長国」が発足したさいは、パキスタン、サウジアラビア、アラブ首長国連邦の三国が正式の国家として承認しました。

一九九七年冬、カーブルでの食糧難を引き起こしてタリバン政権を窮地に追い込もうと、北部のサラン・トンネルをマスード派が、シルク峠をヘクマティヤル派が封鎖しました。そのためカーブルの市民は悲惨な状況に陥りました。

この年の年末年始、私がWHOの短期専門家としてジャララバードとカーブルを訪れた時は氷点下一〇～二〇度の厳しい寒さで、ちょうど断食の月でもあり、食糧難を身をもって体験させられました。夕食時にレストランを見つけるためさんざん歩かなくてはならなかったのです。町には裸足の子どもたちが夜まで物乞いをしていました。しかし、後にパキスタンから大量の食糧や燃料が運ばれたことで、物価はムジャヒディン時代の半額となりました。

三月には、ヘクマティヤル派、マスード派とシーアのハザラ系ハリリ派がタリバンに対抗する同盟を組みました。これが後に米国と手を結んで活動する「北部同盟」です。この同盟はタリバンに対し、ヘラートを攻撃して占領し、次いでカーブルの南部のローガルも攻撃しましたが、これはタリバンに撃退されました。一方、ラバニ派は西の隣国イランと、タリバン後の政策協定に調印し、イランは同時に中部のシーア各派を支援することになりました。

ドストム派はマザリシャリフ、マスード派はパンジシェール渓谷、ヘクマティヤル派は南部へ撤退し、ハリリ派などのハザラ系の一派は中部で時期を待って、それぞれの陣地を構えました。

この時期に日本から、国連アフガニスタン関係諸国会議（UNSMA）に政務官として高橋博史氏が派遣され、双方の仲介を試みて東京和平会議の開催を模索しました。その後、さまざまな組織が数回にわたり、各派の要人を東京に呼んで対話を持ちました。

タリバンのナンバー3と言われていた保健大臣のムッラー・アッバースが、代々木国際研修所に泊まっていた時に、私は彼に会い、平和とアフガニスタンの将来に関して話し合いました。ザヘッド外務次官の来日時にも、私は協議に加わったことがあります。北部同盟のセィラット（ボンの会議で代表を務めた）も来日し、またザーヒル・シャー王の側近で、彼の主治医も務めていたザルマイ・

ラソウル（カルザイ政権で閣僚になった）も東京に招かれ、たびたび会議を持ちました。このように日本政府は各団体とチャンネルを持っており、必要に応じて接触していました。

❖オサマ・ビン・ラディンの接近

一九九六年ころにジャラランバードを実効支配していたハリス派に、かつてソ連軍との戦いで仲間として戦場で生死を共にしたアラブ人戦士たちがいました。彼らは米国の訓練キャンプで訓練を受け、アフガニスタンでもよく知られており、言語も流暢で温かく受け入れられていました。その中の一人、ソ連軍と戦ったムジャヒディンの時代に一派のリーダーとして振る舞ったオサマ・ビン・ラディンが、九六年五月、それまで滞在していたスーダンを米国の圧力で追い出され、再びアフガニスタンに移ってきました。

タリバンのジャララバード占拠に際しては、ハリス派からの若干の抵抗はありましたが、パシュトゥン人の中ではタリバン寄りの派閥も少なくなかったので、結果的に無抵抗でこの町を制圧しました。

この時にオサマ・ビン・ラディンがタリバンに紹介されたのですが、はじめは快くは迎えられなかったといいます。後に彼はカンダハールへ移動し、タリバン創立者のムッラー・オマルに紹介されましたが、口下手でコミュニケーションも得意でないオマルは、彼の華麗で巧みな弁に惑わされることはありませんでした。オサマ・ビン・ラディンにとっては期待外れだったでしょうが、種々の手段を考えて、最終的に協力体制つくりに成功しました。そして自分の娘をオマルに嫁がせ、友好関係を深めることになったのです。

タリバンはついに国内の九〇％までを支配するに至り、制圧した地域での武器没収、治安の正常化をすすめることで国民の支持を得ました。その結果、それまでの異常事態は収まったものの、タリバンは厳格なイスラム化を掲げ、女性隔離政策、写真撮影禁止、音楽や映画の鑑賞禁止、盗賊に対しては手首を切断するなどの厳しい処罰を加えることなどを国民に押し付けました。

噂では、看護婦の勤務を禁止したこともその一つに挙げられていましたが、少なくとも私が一九九七年に訪れた時には、女性の看護師がカーブル市内の病院に勤務しており、医療情勢などについて直接彼女たちから説明を受けたことを記憶しています。

しかしながら、その原理主義思想や厳しすぎる統治行為を国際社会から認められなかったタリバンは、次第に孤立し、アルカイダの影響力に屈することになります。

バーミヤン巨大石仏の破壊

一九九八年二月、オサマ・ビン・ラディンが反アメリカ、反ユダヤのファトワ（宗教的な指令）を出します。オマルは激怒し、自分以外の指令は無効であることをタリバンに指示しました。

その年の八月、ケニア、タンザニアの米国大使館が爆破され、二百人をこえる犠牲者を出します。その爆破テロの首謀者として、米国はタリバンに対しオサマ・ビン・ラディンの引き渡しを要求しましたが、タリバンはパシュトゥン族の掟に従って「客人を敵には渡せない」と拒否したため、米軍はかつてスーダンに対して行ったように、インド洋からカンダハールとパクティア州に対し、七〇発もの巡航ミサイルを撃ち込んだのでした。これで双方の関係悪化は決定的となり、サウジアラビアもまた米国に追随して友好関係を打ち切りました。

タリバン政権はますます孤立し、アルカイダ以外に頼る組織や国はなくなりました。一九九九年一二月、インド航空機のハイジャック事件が起こりますが、タリバン政権の外務大臣ムタワッキルの努力でカンダハール空港での乗客の無条件解放によって解決しました。これでインド政府との関係改善が期待されましたが、一時的によくなっただけで、タリバンの国際的孤立は解消されませんでした。

その後は、治安のための武器の買い取りや政治活動の資金を獲得するために、テロ行為や麻薬の売買・運搬などを行うようになります。それがまた国連と米国による経済制裁に拍車をかけることになり、もともと一枚岩ではなかったタリバンの内部に内紛が発生する引き金となりました。この時期、国際社会に対する反発から、オサマ・ビン・ラディンに近い強硬派の中には報復を模索する動きも生じてきたのです。

そのうちの一つが、世界文化遺産に登録されていたバーミヤンの巨大石仏群の破壊という構想でした。これらの大仏は仏教が中国や日本へ伝わってゆく上で大きな役割を果たしたと考えられています。この貴重な文化遺産の破壊を、タリバンはイスラム教における偶像崇拝の禁止の一環だと主張しましたが、国際社会や仏教界は声をそろえて反対しました。

この時期、歴史家・文学者でカーブル大学教授だった私の父親アブドゥル・シャクール・レシャードはオマルに手紙を送り、「バーミヤンの仏像はイスラム教の生まれる以前に建立され、宗教的な意味よりも歴史的な価値が大きく、イスラム教で禁じた偶像崇拝には当たらない」と説明し、破壊の断念を促しました。

そして実際、大仏はアフガニスタンの宝であり、歴史的な価値が大きなものなので保護すべきであるという旨のファトワ（イスラム教の指令）がくだされたのです（そのコピーの一部を私も目撃したことがある）。

しかし、国際社会の圧力や制裁に対抗措置として、二〇〇一年二月、タリバンはバーミヤンへ侵攻し、ハザラ人約三〇〇人を殺害した後の三月一二日に大仏を破壊しました。取り返しのつかない人類の文化遺産の破壊も、タリバンにとっては自己の力を誇示するための手段に過ぎなかったのです（口絵写真参照）。

二〇〇一年四月の穏健派の指導者マウラヴィー・ラバニの病死とともに穏健派は失速し、強硬派の独擅場となります。一般国民に対し厳しい戒律が押し付けられ、タリバンの国内外における印象をいっそう悪化させました。

こうしてタリバンの孤立は決定的となり、オサマ・ビン・ラディン率いるアルカイダの究極の目的であったアメリカ本土への攻撃に向け、国内外において特殊訓練が行われます。しかし、このテロ攻撃チームの訓練生はすべてアラブ人であり、アフガニスタン人は一人もいませんでした。現に、のちに発表された二〇〇一年九月一一日の米国同時多発テロ（9・11）の実行犯の中にはアフガニスタン人の名前は一人もありません。

しかしこの同時多発テロの報復として、米軍の空爆により、アフガニスタンは全土が破壊されつくすのです。

5　米軍が駐留した二〇年

❖「9・11」同時多発テロとその予告

「9・11」の経過について見ていきましょう。

「9・11」の前日、二〇〇一年九月一〇日、北部同盟（ラバニ派）の実力者で、カリスマ的人気のあったマスード司令官が、アルジャジーラ放送局の記者と名乗った人物によって暗殺されました。アフガニスタンに対する他国の戦略は新しい局面を迎えます。特にイランは、この事件を最大に利用しようと画策し始めました。

しかしその余裕もなく、翌一一日にはボストンからロサンゼルスに向かって飛び立った旅客機がハイジャックされ、ニューヨークの国際貿易センタービルや国防省（ペンタゴン）に突入して、厖大な犠牲者を出しました。

これに対して当時のブッシュ米大統領はこれを「米国に対する戦争布告」と断定して「対テロ戦争」を宣言、首謀者と見るオサマ・ビン・ラディンの引き渡しをタリバンに要求しました。しかしタリバン強硬派は、「客人の引渡しはパシュトゥン族の掟に反する」と、引き渡しを拒否します。

この時、カンダハール市において約七〇〇名の宗教者や部族指導者が二日間の会議を持ち、オサマ・ビン・ラディンの自発的な国外退去を求めるとともに、アメリカにアフガニスタンに対する報復攻撃の自制を要求しました。あわせて、もしそのような攻撃が行われたとすれば、「反イスラム行為と見なし、ジハード（聖戦）を宣言する」ことも発表しました。

以上のことにかかわって、私にも忘れられない出来事があります。

「9・11」の半年前、二〇〇一年三月はじめ、私はパキスタンの首都イスラマバード市内で、後に大統領になったハミード・カルザイ及び彼の側近たちとイタリア料理店で夕食のテーブルについていました。その時、「タリバンやアルカイダはとんでもないことを考えて実行に移そうとしている」と打ち明けられたのです。当然ながら、アメリカの反撃も相当なものになるであろうという予測も聞きました。

このパキスタン訪問時には、後にカンダハール知事となった軍閥のグール・アグハと、都市開発大臣のユスフ・パシュトゥンともイスラマバード市内のレストランで昼食をともにしましたが、彼らも人手を必要とし、近いうちに権力の拡大が必要だと話していたことが印象的でした。ただしこれらのことが、アメリカ国内に太いパイプを持っていた彼らが入手していた密かな情報によるものであったことは、当時の私には知る由もなかったのです。

❖「北部同盟」とアメリカ軍の攻撃

アメリカ政府内では、反アフガニスタン戦争と反イラク戦争の同時開始が、親ユダヤ派のチェイニー副大統領とラムズフェルド国防長官を中心としたグループによって画策されていました。その一方では、CIA（アメリカ中央情報局）を中心に、反タリバン組織として北部同盟を背後から支援していく作戦が練り上げられていました。

CIAは、多くのエージェントに大量のドルの札束を持たせて、タジキスタンやウズベキスタンから侵入させ、暗殺されたマスードの後継者であるファヒム将軍（後ほどの国防相、副大統領）とアブドゥッラー渉外担当（のちの外務大臣）、そしてマスードの弟に金を渡して、反タリバン運動を促しました。マザリシャリフを拠点にしていたウズベック族のドストム将軍もまた反タリバンの有力者と見なされ、大量の武器の提供を約束されていました。北部同盟には、ソ連製の大量の兵器に加えてアメリカ製の重火器や兵器が手渡され、カーブル方面への進軍開始の命令を待つばかりでした。

二〇〇一年一〇月八日、「報復戦争」の名目で、米英軍のアフガニスタンへの空爆が始まりました。翌日、オサマ・ビン・ラディンが「反米ジハードを継続的に行うとともに、イスラム教徒はそれに参加することが義務である」という趣旨の声明を発表します。

タリバンに対する米軍の攻撃は、もっぱら空からの攻撃、つまり空爆でした。それに対抗する兵器は、タリバンにはありません。当然、攻撃は一方的なものとなりました。巨大な戦略爆撃機B52を含め米軍機は勝手放題にクラスター爆弾等の新型高性能爆弾をタリバンの基地を目がけて投下しつづけました。

しかし、高空からの爆弾は攻撃対象を選別しません。空爆はタリバンだけでなく、老人や子ども、女性を含む民衆をも殺戮します。いや、上空の米軍将兵がそれを避けようと意識していたかどうかもわかりません。空爆はアフガニスタンの人々のおびただしい死を生むと同時に、内戦で破壊されたアフガニスタンの国土をさらに無残に破壊しつくしていきました。

一方、北部同盟はまずアフガニスタン北部でタリバンを孤立させ、マザリシャリフを攻略し、その周囲で約三千名のタリバン兵を殺害しました。次にカーブル方面へ向かいますが、米軍は首都での略奪などの不祥事を恐れて自制を求めます。

アメリカの戦略では、最初からすべての権力を北部同盟に移行しても戦後に秩序を維持することは困難であり、やはり人口の四割を占めるパシュトゥン系の支配が望ましいと判断していました。そのため共産政権時代に警察長官を務めたアブドゥール・ハクを米軍のヘリコプターでカーブルの南部のローガル州に潜入させ、カーブルの占領を計画していたのです。しかしこの計画はタリバンに発覚し、ハクはヘリコプターから降りた途端に殺害されました。

次なる人材を模索したところ、パキスタンの南西部のクエッタに滞在中のハミード・カルザイが浮上してきました。彼の父親は国会の副議長を務め、アメリカと親密な関係にありましたし、しかもその父がタリバン時代に自宅前で殺害されたことから、カルザイは反タリバンでもありました。今回の戦争ではカルザイもパシュトゥン族とタリバンの分断の作戦を担っており、タリバンの標的になっていましたが、彼が所属するポパルザイの部族の多いウルズガンに移動し、タリバンとの戦いで有利な立場に立っていました。

一一月一三日、自制を求められていた北部同盟が、米軍の説得を無視してカーブルを無抵抗で制圧、勝利宣言を行いました。市民は厳しい戒律から解放されたことで喜びを噛みしめる一方で、ムジャヒディン時代の悪夢の再現を恐れました。

一一月二七日、ドイツのボンでアフガニスタンの各派の代表団が集合し、新しいアフガニスタンの運命を決める会議を開きました。その結果、一二月五日には暫定行政機構の成立がドストム派以外の賛成多数で採択され、議長にアメリカの要望通りハミード・カルザイが就任することになりました。

一二月六日、オマルがカンダハールの権限を明け渡し、ついにタリバン時代が終息しました。

この一二月にはまた、国連安保理事会の決議による多国籍軍がアフガニスタンに派遣されました。

アメリカ軍の他に主力としてイギリス、ドイツやフランスによるNATO軍、さらにアフガニスタン国民が受け入れやすいようにイスラム国の代表としてバングラデシュやトルコ、ヨルダン軍の派遣も行われました。パキスタン軍も派遣を検討しましたが、反タリバン勢力の反発も考えて見送られました。

一二月二二日、暫定政権の発足記念式典が行われて、新しい時代の幕開けとなりました。

この暫定行政機構が発足した直後の一二月二五日、私はペシャワールから陸路でジャララバードまで移動し、さらに米軍の空爆や地上作戦が行われていた最中にカーブルまで移動しました。その途上、放置された遺体や、破壊の極限を目の当たりにしたことは、今でも忘れられません。国境沿いの山中にあるトーラボラでアルカイダやタリバンの残した家族、洞窟から出て保護を求めた子どもや婦人たちまでもが一斉に砲撃され、殺害されたことを、通訳の青年が泣きながら語ってくれました。

また、ローガルの周辺を訪れた時には爆撃機が飛びかい、常に身の危険を感じました。カーブルの北西部のハイルハーナ地区（私の家族が住んでいた）では、クラスター爆弾攻撃で破壊された住宅街の一角にあったタリバンの拠点で、私は危うく不発弾を踏むところでした。市内や行政の役所では北部同盟軍の横柄ぶりが目立ち、市民はタリバン時代よりも抑圧されているように見え、不安と絶望の渦に巻き込まれているようでした。

❖東京で開催されたアフガニスタン復興会議

アフガニスタンの復興の必要性を国際社会に認識させるため、二〇〇二年一月二一日、東京で国際会議が開かれました。六〇カ国、二二国際団体が参加したこの会議の議長は、アメリカのパウエル国務長官と日本の田中真紀子外務大臣、そして緒方貞子アフガニスタン支援政府特別代表の三名でした。

この会議で、多くの国々が多額の援助金を約束してくれました。日本の支援は医療保険分野、警察組織支援、教育支援、そして一部の道路などのインフラ整備が主体でした。

この会議の直前、年末年始にアフガニスタンを訪れていた私は、医療事情や感染症の実態を整理し、復興会議前に自民党本部や国際協力機構（ＪＩＣＡ）を訪れて、アフガニスタンの需要を説明し、支援策を要望していました。その結果、支援計画に結核を中心とした感染症対策が盛り込まれ、たいへん感激しました。

二日間の協議で、日本政府が五億ドル（二年半）、アメリカは一年で二億二六〇万ドルなど、総額で三〇億ドルの支援金が約束されました。これに対してカルザイ議長は、効率性や透明性のある国家をつくることを宣言しました。

この会の前夜祭で、私は暫定政権のアルサラ副議長と会い、北部同盟への今後の対応と統一国家としてのビジョンを慎重に描くことを提言しました。その後五月にも私はカーブルを訪れて、直接カルザイ議長と面会し、再度このことを討論しました。この時すでにカルザイは自分の自由が利かないことに気付いていましたが、もう時期は遅しという感じでした。

❖アフガニスタンの復興と武装・動員解除

二〇〇一年九月一一日のニューヨークでの破局的なテロ、そしてその後のアフガニスタンの運命、さらにイラクへの侵攻と残虐な戦争への流れは多くの人が報道で見てきたとおりです。

このような経過をへて「アフガニスタン・イスラム共和国」の新政権が発足、平和の構築を開始したのですが、そのためにまず必要なことは、全国にばらまかれた武器を回収し、「兵士」たちを「軍閥」から解放して社会に復帰させることで、これを武装・動員解除（DDR）と称し、活動を開始しました。

しかし、その前に立ちふさがる大きな難題は、「今まで軍閥に雇われ、戦いや人殺しで食べていた人々が、武器を取り上げられた後に何をやって食べていけばよいのか」ということです。職業訓練を行うといっても、工場らしい工場はなく、農場はまだ地雷だらけであり、地方では治安も安定していません。そういう状況の中で衣食住の確保という当たり前の生活をするために、どこでどのようにして収入を得ればよいのか……。そして続く問題は、その回答を政府が用意できていないということです。

国連によるDDRの想定期間中には六万人が武器を供出しました。しかし、登録されていない人々がその倍もいる現実では、成功したとは言えません。一方、周辺国から毎日のように新たな武器が入り込み、軍閥の手に渡っていることが、この問題をますます複雑にしました。

さらに最近は地方の治安が悪化し、多くの一般住民が犠牲になりました。その主な理由は、国際社会から提供される援助金の不公平で効率の悪い分配の仕方にあると考えられます。開発や復興の名目でばらまかれている援助金によって、都市部と地方の格差がますます広がり、就職の機会や収入の額の差別が、政治への不満をつのらせ、結果的に治安の悪化につながっているのです。しかし、こうした現実に対して多くの政治家やその支援者たちが目をそらし、すべての犯罪行為を「タリバンの残存者による犯行」として終わらせようとしました。

❖山積する難題

二〇〇六年七月の第二回東京会議（「平和の定着」に関する会議）では、再度莫大な金額が非合法武装集団の解体（DIAG）のために割り当てられました。しかし、前回行われた元兵士の武装解除、社会復帰の実績を検証することなく、巨額な資金がどう使われ、どう役立ったのか、その評価と用途は不明のままです。軍閥から武器は集められたものの、それがどうなったのかは検証されていません。

一方で、武器を収入源としていた彼らは次の収入の手段をどうしているのか、これも実態はわかっていません。技能訓練が行われたという報告はあるものの、その検証はなく、訓練を受けたとしても、どこにそれを活用する場があるのか、供出した武器と交換されたお金で最新式の武器が買われ、より最新で強力なものに化けなければよいが……と、心配の種は尽きません。

第二回東京会議には、再度カルザイ大統領が来日し、アフガニスタン政府の実績が延々と述べられ、テレビや新聞のインタビューの中でも大統領は希望と実行可能な計画を強調しました。

しかし、現実は誰の目にも明らかなように難題と不安が山積し、この七年間の努力とお金は、むしろ復興を一〇年間遅らせた結果となりました。

カルザイ大統領は政治家に会って会議をするよりも、むしろ日本の財界人と会って、アフガニスタンへの投資を依頼することが必要だったように思われます。職を失った軍閥の元兵士や一般市民に仕事を提供できるように投資をすることが、アフガニスタンの復興に最も必要なことだからです。たしかに治安の安定が投資の条件には違いありませんが、衣食住もままならないのに治安の安定が訪れるわけはないからです。

二〇一二年七月、第三回アフガニスタン支援国際会議が東京で開催され、五五カ国と二五の国際機関が、アフガニスタンの自立に向けて開発面の努力を支えていくことを決定しました。国際社会とアフガニスタン政府間のパートナーシップを具体化し、アフガニスタン及び国際社会の相互責任を明確化するとともに、それを定期的に確認・検証するメカニズム「東京フレームワーク」を創設しました。

しかし、このような国際支援は計画通りに実行されることはなく、二〇一一年にオサマ・ビン・ラディンが米軍によって殺害されたことで米国のアフガニスタンに対する関心が薄れ、支援の額や技術的な指導が日に日に低下しました。実はこのころから日本の国際協力機構（ＪＩＣＡ）などの支援金もそれに比例して減少していきました。このような現状はアフガニスタン国内の経済的な状況を悪化させ、公務員などの責任感の欠如や不正を招き、政府に対する不信感をあおる結果となり、反政府勢力のタリバンの活動を活発化させる結果になりました。

アフガニスタンをテロの温床にせず豊かな国にするために、米国が二〇〇一年にアフガニスタンに侵攻しました。二〇〇三年にイラク戦争がはじまると、米国首脳と米軍はアフガニスタンの優先順位を低下させました。イラク戦争に力を入れ、予算や軍事力もイラクへ集中させました。アメリカや国際社会がアフガニスタンを軽視したことが、アフガニスタンの情勢悪化の大きな誘因になりました。

❖混迷するポスト・カルザイの大統領選挙

二〇一四年四月五日に、アフガニスタンの今後の四年間の運命を決定する選挙が行われました。カルザイ氏の大統領としての一〇年、それ以前の移行期の二年間を合わせて一二年間の長い政権に終わりを告げ、新たな指導者による政権運営がはじまることに国民一人ひとりが大きな期待を寄せていました。もちろん期待と同時に不安も抱き合わせでもっていました。

有権者約一二〇〇万人の内、約六〇％がテロや選挙妨害という脅しにも負けずに投票所に足を運びました。投票率は前回の四〇％より二〇％も高く、国民がいかに大きな期待をもっていたかを意味しています。

四月五日の一次選挙では過半数を得る候補者がいなくて、六月一四日に上位ふたりで決選投票が行われることになりました。ふたりの候補者は得票の四五％を獲得し、タジク人の支持を基盤にしているアブドラ（元外務大臣）と、三二％の得票を得て、最大民族であるパシュトゥン人の支持を基盤とするガニ（元財務大臣）です。

本来ならばこの選挙の結果によって、七月二日に新大統領が決定するはずでした。しかし、選挙やその票を数える時期になって両候補間で不正を行ったと批判が飛び交うようになりました。多くの国民が誠意をもって投票し、期待していただけに残念なことであります。

結局、大統領にはガニを選出し、アブドラが行政長官という挙国一致政府となりました。

❖トランプ米大統領の頓挫した戦略

二〇一七年に就任した米国のトランプ大統領は、アフガニスタンの戦略や対策需要が低いと判断し、戦略を見直す方針を打ち出しました。その内の一つが永らく続いて成果が見られないアフガニスタンでの米軍の駐留でした。二〇〇一年から多い時には一〇万人の米軍が停留し、多くの一般市民の犠牲者も出した、無駄な戦いを終わらせる手段を模索しました。

米国はアフガニスタン政府と、反政府勢力タリバンとの話し合いを積極的に進め、二〇二〇年二月には米国とタリバンが米軍の段階的撤退に向けて合意し、カタールのドーハでアフガニスタン政府とタリバンの和平協議が開始されましたが、アフガニスタン国内の治安の悪化、自爆テロの頻発、それによる犠牲者の増加や米国軍人の巻き添えなどが話し合いの妨げになりました。トランプ大統領は結局、話し合いの中断を宣言しました。

本来ならば、双方のリー

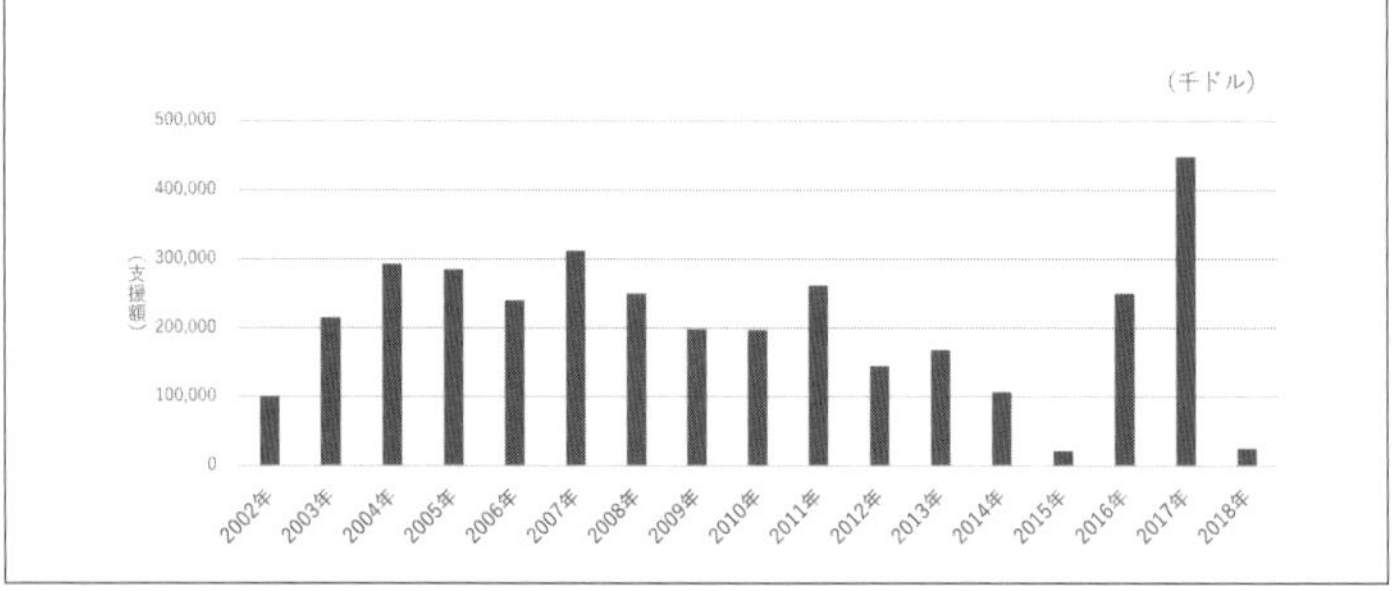

世界銀行　アフガニスタン復興支援額の推移

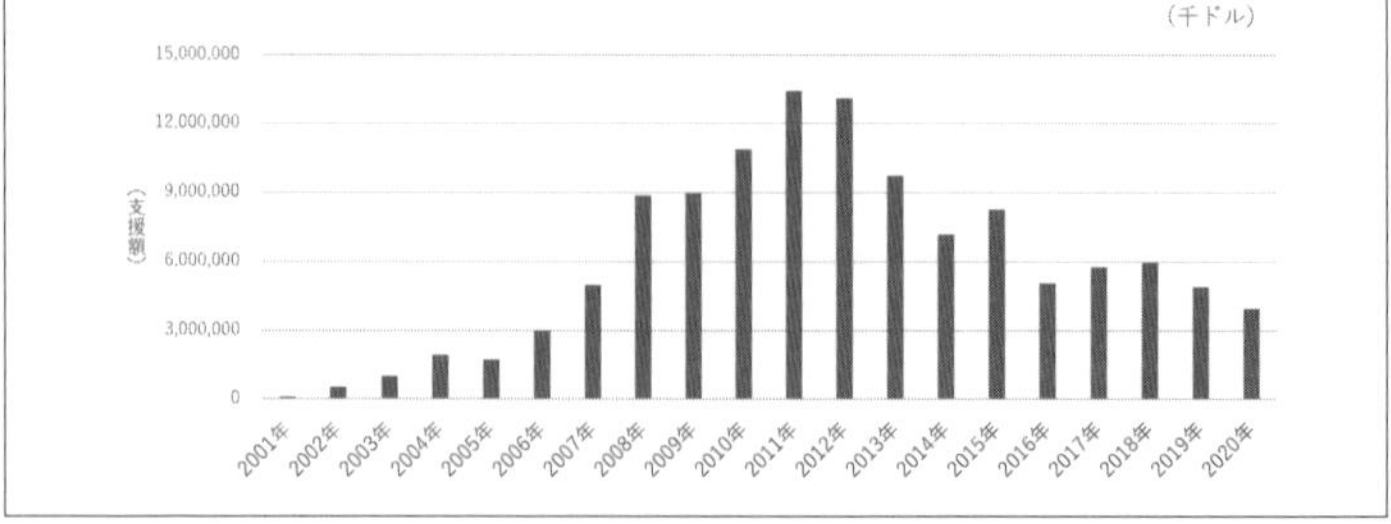

USAID　アフガニスタン復興支援額の推移
（米国国際開発庁）

ダーがワシントンを訪れてトランプ大統領と直接話し合い、合意に達すれば調印式を開く予定でした。しかし、過激で反タリバン、反イスラム教として知られる前大統領補佐官のボルトンがその中止を提言し、アフガニスタン大統領とタリバンの代表のワシントン訪問は実現しませんでした。

❖ またも混乱した大統領選挙

ガニ大統領が再選をめざした大統領選挙は、ふたたびナンバー2のアブドラとの戦いが繰り広げられました。二〇一九年九月二八日に第一回投票が行われ、一二月二二日にガニが大統領当選との選挙結果が発表されましたが、アブドラ候補が意義を唱えました。二〇二〇年二月一八日に選挙委員会は一二月二二日の結果を最終結果と発表して、ガニの当選が確定されました。しかしアブドラは納得せず、三月九日には両者が別々に大統領就任を発表しました。その後、国内外の種々の調整をへて五月一七日に両者は新政権樹立で合意し、ガニ第二次政権が発足し、アブドラが国家和解高等法議会の議長に就任し、タリ

JICA　アフガニスタン復興支援額の推移（国際協力機構）

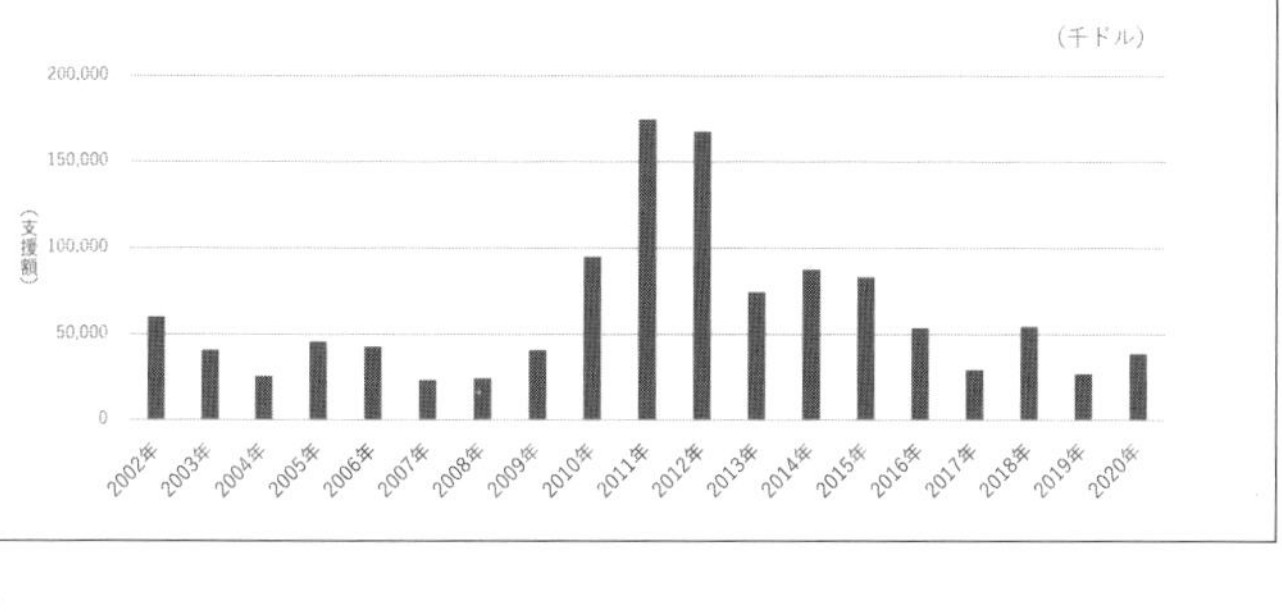

バンとの和平交渉を主導することになりました。

一方この選挙に参加できないタリバンは、中止を訴えて選挙妨害のために投票所を攻撃し、多くの犠牲者が出るとともに、恐怖で投票所に行けなかった一般市民もいました。タリバンは選挙後の和平交渉に応じないだけでなく、自爆テロや攻撃を強化することを宣言していました。理由はタリバン側が国民の一部や政党として評価されず、無視されたことを上げていました。

また二〇一九年一二月四日、「ペシャワール会」代表の中村哲先生が、ジャララバードで銃弾に倒れて残念ながら亡くなる事件が起きました（詳しくは5章参照）。

❖ バイデン米大統領の就任と米軍のアフガニスタン撤退表明

トランプ大統領に変わって就任したバイデン米大統領は、二〇二一年四月にアフガニスタン関連の計画を発表し、九月一一日までに米軍のアフガニスタン完全撤退を表明しました（その後八月末に前倒し）。

米軍の撤退によってタリバンが勢いづき、八月に入ると地方都市を次々と制圧し、八月一五日に首都カーブルを制圧し権力を掌握、ガニ大統領は国外に逃れてアフガニスタン政権は崩壊しました。カーブルがタリバン勢力に支配されることになりました。前政権や国際的な支援団体に勤めていた多くの労働者が、タリバン政権による迫害や報復を心配して国外への避難を試みました。カーブル国際空港を離陸する米軍機を追いかける映像が、世界の人々を驚かせました。

九月六日、タリバンが暫定政権の樹立を宣言して統治を始めました。

国連の制裁対象者の入閣や女性の教育や就労が保証されないなどの問題が出てきており、国際社会が圧力をかけて、制裁をしています。（この間の経緯は、2章で詳しく述べています。参照ください。）

＊

その後も、二〇二二年六月二二日に起きたマグニチュード5・9の地震で千人以上が亡くなり、約四五〇〇棟の家屋が被害を受けました。

タリバンとテロ組織の関係などが取り沙汰されていますが、現状ではタリバンのほかに国を統治できるような勢力は見当たりません。このままの生活苦やさらなる治安の悪化が続くと、アフガニスタンを逃れる人が増え、テロ組織が入り込む可能性もあります。二〇二二年八月一日には、アルカイダの指導者のザワヒリをカーブルで殺害したと米政府が発表しました。

国際社会の支援に頼らざるを得ない状況が続いていますが、アフガニスタンを支えることが大切です。ウクライナ情勢に多くの注目が集まっていますが、日本を含む国際社会は、国連やNGOを通じた緊急の支援に取り組んでいただきたいと思います。

コラム

レシャード・カレッドの眼―診察室の窓から 心の声を聴いて、診る【②】

❖自己負担増額という「いじめ」＝介護保険

選択可能で利用者本位のサービスを通して、高齢者のお世話を行政が国民や地域住民とともに行うことで介護者の負担を軽減する目的で、二〇〇〇年に介護保険制度が設立され、開始された。確かに介護保険を設立する時の厚生大臣は小泉純一郎氏であり、スタートまでの準備が充分に出来ておらず、「走りながら考える」という台詞で国民を納得させたことが記憶に残っている。

行政がお世話をすること自体には多大な期待はなかなか出来ないものではあるが、それでも、超高齢化時代を迎えた日本において、やっと福祉を重視する時代が到来したかのように思われた。サービスの量に加えて質を高めるために、あめとムチの使い分けで、デイケアをはじめ、各種の施設サービスが各地域毎に活動をし始め、徐々に充実するようになった。その中でも心配していたのは日本の風土と文化に馴染みの薄い在宅訪問であったが、これも次第に板についたような状況になってきた。寝たきり老人を出来るだけ減らすことの目的を完璧ではないにしても多少改善できたようにも思われた。

これらの成果の背後と基礎によって、介護保険の担い手であるサービス担当職員の多大な努力とボランティア精神が存在し、それなしで実行不可能といっても過言ではない。長時間の労働時間と精神的に大きな負担の中で、よくもここまで頑張って他人である利用者のお世話を、我が親よりも大切に行えたものだと感心している。

当然ながら介護に対する経済的な負担の厳しい中で、職員の賃金は決して高いものではなく、むしろボランティア精神の下で行われてきているサービスがほとんどではないかと思う。利用者、御家族が感謝の気持ちを常に持つことで彼らの努力が報われるものだ。

私は介護や医療系の職員を採用する時に、常に三つのことの実行をお願いするようにしている。自己の健康管理が大切であり、自分が健やかでない限り、他人に健康や幸せを与えることはできない。職場内の和を大切にし、職員間の連帯感と楽しい環境で仕事することが、相手に良い笑顔を作らせることが出来る。我々の仕事は人のお世話をすることである以上、定額の給与に見合ったサービスを提供しようという考えでは到底割が合わない。人生の先輩である方々のお世話をさせていただくという気持ちが大切であり、その実行こそがボランティアを目標とした仕事の本質である。実際、全職員がそれを実行していると確信している。

最近、行財政改革の一環として支出削減のために、医療福祉の分野で患者や利用者の負担を日に日に増加させている。自己負担による支出が増す一方で、高齢者の唯一の収入源である年金は減少している。薔薇色の老後を期待し、人生の大半を国や家族のために費やした人々は、現在や将来に対する不安で苦しんでいる。

介護保険で施設を利用している方では月三～五万円の負担が増加し、時には生活の場をなくして退所しているのが現状だ。今までもこのような施設やサービスが豊かな財政のもとでやれたわけではなく、むしろ職員の時間外までの直向な努力と頑張りによる面が多かった。定期的だった改正は利用者のみならず、介護者やサービス提供者の職員を窮地に立たせる結果となる。

本当の行財政改革には賛成だが、強い者にはばら撒き、弱い者をいじめる風習はいい加減に終わらせたいものだと私は思う。

❖社会保障と消費税増税

社会保障・人口問題研究所の予測によると、日本の人口のピークは二〇〇六年であり、その後は次第に減少に転じるとされている。しかし、実際の特殊出生率はこの予測より二年も早く最低値を下回る値となっている。この少子化が国民の将来に対する不安を煽ることになり、年金をはじめ医療や介護の充実を夢見ることは遠ざかる結果となっている。

ＮＨＫのアンケート調査で、政府に期待する対策として最大の要望は社会保障、特に年金の充実（六六％）である。年金の支払いとして厚生労働省が約束した給与の五〇～六〇％を下回ることは確実である。一方、医療や介護保険の個人負担が年々増加し、一般家計を圧迫しているため、今後もますます増加すると予想される。

介護保険下での自己負担が徐々に増加傾向にあり、高齢者の財政を圧迫させることになった。二〇二二年一〇月から医療保険の改革の名の下で、対象高齢者の支払い負担は二割に増加が既に決定している。今後も、医療制度に対する厳しい評価がされようとしている。最近医療の質を見直すよりも、そのサービスをどう評価するかが議論の的となっている。医療は公共のサービスであり、単純には物や商業と同じように評価をすることは不可能である。平等性が保たれるべきサービスであり、国民皆保険がその前提である。

超大国であるアメリカ合衆国では医療サービスは市場原理に基づくものであり、国民の六分の一が支払能力がないために、医療サービスの恩恵が受けられない。日本は世界で最長命国となったのは、今までの医療皆保険のおかげであり、今後もこのような制度を維持するべきである。

社会保障という重大な課題は、いつまでもこのような姑息的な方法で解決できるものではない。自民党は社会保障を目的として消費税を一〇％に引き上げた。それによって年間二〇兆円の支出を賄うことができるという。しかし、社会保障費が二〇年で倍の額が必要となることは確実である。

となれば、消費税を二〇%に上げざるを得ないことになる。国民の負担は限界となるであろう。社会保障の根源は社会全体で弱者も強者もなく、ともに元気で幸せに暮らすことである。財政面だけの評価ではなく、中身の充実を期待したいものである。

❖団塊世代の高齢化と介護の行き先は

この数年は、団塊世代が後期高齢期を迎えるに当たり、日本の社会構造そのものが変わろうとしていることが話題になっている。戦後の貧しい時代を努力と発想の転換によって乗り切り、立派に復興を成し遂げた世代が順調に世代交代をして、この国の進路を次世代に譲り渡し、今は高齢者として、この国の将来を見すえている。その世代交代によって戦後の繁栄と進歩によって最も多く生まれ育った世代が日本国の進路を譲り受けて、運営を任された。この団塊世代の頑張りによって日本は世界第二の先進国まで昇りつめた。

しかしこの急進はバブル時代の到来を誘発し、過去の教訓を忘れ日本の経済が走り過ぎた結果、世界の不動産をあさることにまでなった。そして、バブルがはじけ、平成の大不況でもまたこの世代が頑張って景気回復を成し遂げることができた。しかし、これからと言う時に団塊世代は御役目御免となり、自分たちが次世代の進路を見据えることになってきている。

そこには国の将来に対しても、また自分らの将来に対しても大きな不安を持つことは間違いない事実である。個人的には年金は先細りとなり、医療や介護保険の負担が増える一方で、再就職する場もままならない厳しい状況に追い詰められている。社会的にはニートやフリーターの存在が、追随者として頼りにならないことが不安の種である。

前世代の高齢者といえば、同じく介護保険や医療保険の負担が一割負担から二割負担（医療は三割）となり、地域格差によるサービスの希薄によって受けられるサービスは限られ、あっても高額となっていることに対する不安が日増しに増大している。

新型コロナウイルスの感染拡大で、経済活動にブレーキがかかる前は、景気回復が徐々に見えてきていたことは明白であったが、日本にとってこの景気回復は次のバブルをもたらしかねないか心配もあった。

特に需要増大に伴って職種別に格差が広がることになり、それぞれの職種を希望する人材にも収入や条件の違いによって格差が広がることになる。例えば、不景気の時にはリストラされた多くの職種の方々が、介護の資格を取れば需要に見合った仕事が見つかって、危機を乗り越えてきたが、最近は介護保険の改正に伴って、職員の給与を含めて厳しい運営にあるこの分野を去り、人材確保の需要が多くなっている他の方面へ移ることになっていく。しかし残された介護の世界は、人的、物資的、資金的にますます厳しい環境に追い詰められることになっていく。当然そのしわ寄せは、利用者や職員の負担として日常業務やサービスの質に影響する結果となる。

さらに最近は、ウクライナ問題の発生とともに燃料価格の高騰や国際的な経済のひっ迫、円安等の影響によって、日本国内の財政情勢は悪化することが見込まれることから、社会保障への軋轢が増すことが容易に予想できる。高齢者に優しい社会と政策に期待をしたい。

5

中村哲先生の生き方に学ぶ

──関心をもつことからすべては始まる

中村哲先生（右）と一緒に。アフガニスタンの山々は緑がなく岩塊ばかり。2014年11月14日

❖基本は現地で実態を知ること

皆さんよくご存じの「ペシャワール会」代表の中村哲先生は、残念ながら二〇一九年の一二月四日に、アフガニスタンで銃弾に倒れて亡くなられました。上の写真で、中村先生の隣りにいるのは私ですが、実はこの帽子は私の帽子ではなくて、中村先生の帽子を被せてもらったんです。

中村先生は医者としてアフガニスタンやパキスタン北部でいろいろな医療活動をしてこられましたが、結果的に食べていけない患者さんはいくら薬があっても、治療しても治らない。何とか食糧の問題を解決しなければならないという結論に達して、中村先生はアフガニスタンで水路を作ったり、灌漑《かんがい》を行ったり、井戸を掘ったりといっ

クナデイ村の揚水水車で中村哲先生（右から２人目）と筆者（右から３人目）。2014年11月14日

た活動を始めました。

上の写真は水車のところで、私と中村先生です。昔は緑地帯だったこの地域は、長年の戦争や干ばつによって砂漠化してしまいました。ここも私が訪れた二〇〇九年には砂漠になったところで、ほとんど乾燥地域になっていたのです。砂漠だった土地も中村先生の活動で、二〇一四年には緑あふれる土地に変わりました。多くの方々が収穫や収入を得て、食糧を得られるようになりました。もちろんアフガニスタンの人々は、中村先生の恩を忘れておりません。

二〇二〇年九月に、中村先生の記念塔がナンガルハル州に作られ、二〇二一年一月にはアフガニスタンで中村先生の記念切手ができました。本当によくもここまで頑張られたと、つくづく思うのです。

中村先生の活動は国際医療の基本であり、手本の一つであると私は思います。多くの人たちのお役に立つことが出来なくても、関心をもって現地に足を運ぶこと、実態を知ることが、私は一番大切なことだと思います。

❖ソ連軍の侵攻と難民支援

一九七九年一二月、ソ連軍がアフガニスタンに侵攻してきました。私は当時、奈良県天理市の天理よろづ相談所病院で仕事をしていました。ソ連のアフガニスタン侵攻を聞いたとき、ショックが大きすぎて、何をどうしていいかわからないまま東京に行き、在日アフガニスタン人に電話連絡をとりました。年明けには情報をいろいろと集めたりもしました。一番むなしかったのは、自分は何ができるのだろうか、何かできることがあるのではないのか……、そう思っても何もできなかったことでした。

それから数カ月が経ち、多くの難民が国外に避難して、多くの死者が出て、国は破壊されていきました。ソ連は、一〇万人以上の軍隊を連れて来て戦争を起こしました。国中が悲惨な状況に追い込まれてしまいました。そこでいろいろと考えましたが、「私は医者だから、医療的なことをすべきだろう」と。そのために、私の全財産を薬に換えてリュックに入れて、一九八〇年八月に難民がたくさん逃げてきていたパキスタンのペシャワール地方まで行きました。

テント村で何とか難民を診療していましたが、あまりにも生活がひどかったのです。みんな生活できないし、私が全財産をはたいて買って持って行った薬は、たった三日でなくなりました。あとは診療しても薬はないし、かといってこのまますぐに帰るわけにもいかない……。

途方に暮れながら外を歩いていたら、たまたま溜水があったんです。そこで小学校一年生か二年生くらいの女の子が、自分の妹か弟かのおむつを洗っているんです。

「君、一生懸命にやっているけど、この水は溜水だから汚いよ。子どもに良くはないよ」と話したら、振り向いてニコッと笑って、「おじさんどこから来たの」と言うので、「日本から」と言ったら、「ああ、だからそう思うんだよ。溜まった水があるから洗えるんだよ。まったく水がなければ、いつもは洗えないいんだよ」と言うのです。「じゃあ、いつもはどうしているの？」と聞くと、「砂でこすって、もう一度あてるんだよ」と言ったのです。

小さな子どもに教わったこの現状が辛くて、ショックで、それから持続的に何かをしなければならないと考えて、とりあえず毎年難民キャンプに通うようになったのです。

❖ ペシャワール郊外に病院を作る

中村先生は学生時代に山登りが好きで、卒業後にヒマラヤ山脈にも登山隊の帯同医師として参加されたことがあります。このような経験が中村先生の活動の幅を広くし、無医村の多い山岳地帯のノリスタンの山々や谷で訪問診療を行うきっかけになりました。

このような活躍が認められ、二〇〇三年にはマグサイサイ賞を受賞されました。

一九八四年に中村哲先生が、国際協力を目的にペシャワールにやってきました。中村先生は、ハンセン病が専門でした。ハンセン病の患者の診察が中心でした。確かにハンセン病の患者は日本に比べるとすごく多いのですが、それは慢性疾患であって、それよりもその場にいる多くの急性疾患の患者の方が、圧倒的に致死的な状況にいたのです。私も難民キャンプで結核をみつければ、治療を始めたり専門医に紹介したりしていました。

中村先生は途中でハンセン病の問題より大きな問題があることに気づいて、結局ハンセン病の治療だけをするのをやめて、一般的な診療をすることになりました。これが本来のあるべき姿だなと思いました。

そのころは、「ペシャワール会」などの団体の活動ではなく、臨床医という形でやっていたのです。それが実を結んで、少しずつ若者が中村先生のところに応援に行く、勉強しに行くようになりました。

そのうちに入院しなければならない患者さんが出てきます。入院といっても、その人たちには行き場がないのです。パキスタンの病院は難民を入院させてくれないのです。そこで中村先生は、一九九〇年にペシャワールの郊外に病院を作りました。そこに若い医者とか若い職員たちが来て、研修のかたわらいろいろとお手伝いをしたり、支援をしたりして仕事をしていました。

私もペシャワールを訪れた時にこの病院を視察して、私なりにアドバイスをしたりしていました。中村先生とはそのころからの付き合いになるのです。

中村先生が病院を作る前にも、何度となく会って話をしていましたが、当時はまだそんなに親しい間柄ではありませんでした。お互いの活動の現状とか、何が問題かといったことを話していました。

中村先生がペシャワールに病院を作るという話を聞いた時は、正直いって「病院は必要なのか」と私は疑問に思いました。難民はいつまでそこにいられるだろうか、病院を作ったとしても難民を何人入院させられるだろうかと……。難民は何百万人もいます。でも病院がまったくないよりはましという思いでした。

❖なぜソ連軍はアフガニスタンに侵攻したのか

アフガニスタンからソ連軍が出て行ったのは、一九八九年です。アフガニスタン侵攻からちょうど一〇年で、アムール川をウズベキスタンの方に下っていくわけです。いよいよ難民がみんなアフガニスタンに帰れるという期待をもっていましたが、実は大変なことになりました。

その前に、なぜソ連軍がアフガニスタンに侵攻したのかという理由です。これは、ソ連は南の海に拠点を作りたかったのです。いつも北の海だけで、半年くらい凍っているところにソ連軍はいるので、西側の軍とは争っても勝ち目はない。だから南方の暖かいところに拠点を作りたいと……。

アフガニスタンをおさえれば、パキスタンの南はほとんど砂漠ですから、ソ連軍はパキスタン南西部からイラン南東部にまたがるバルチスタンというところに行けるわけです。

しかし、米軍やNATO軍にしたらソ連軍が南に来たらたまったものではない。そんなことを許してたまるものかということで、アフガニスタンにとどめておこうと、大量の武器と訓練生を送って、ムジャヒディン（自由の戦士）という反体制派の人たちを作りました。結果的にはソ連軍が追い返されると同時に、ソ連そのものが解体するはめになってしまいました。

❖アフガニスタン東部ナンガルハル州

ただ問題は、ソ連軍が出ていったら安全で平和なアフガニスタンに戻るはずだったのですが、そうはならなかったことです。ソ連を追い出し、米軍も出ていったけれども、アメリカの訓練を受けて武器を大量に渡された勢力の間で喧嘩や殺し合いが始まったりして、一般市民がこれまで以上に苦しめられる状況になってしまいました。結局はどうにもならなくて難民が帰れなくなる。それどころか、新たに難民が発生するようになりました。中村先生をはじめ医療団の活動がもっと必要になるような状況になってしまったのです。そして、先述した病院の設立に繋がるのです。

こうした事態は、パキスタン政府や地元の住民にとっては面白くないのです。難民はまともな病院で治療を受けたり薬をただでもらえたり、場合によっては食糧までもらえたりします。けれども地元の住民は何ももらえない、まともな病院もないということで、住民は難民を追い出しにかかるんです。中村先生たちにも日増しに圧力がかかってきました。

中村先生は一九九〇年代後半にペシャワールでの活動を中止し、アフガニスタン国内のナンガルハル州の方に活動を移しました。ナンガルハル州は、かつては豊かな緑の大地でしたが、山々にあった森はソ連軍に全部焼かれて荒れ地になって、緑のところは全部地雷だらけになったり、その結果干ばつで水がなくなるのです。

そこに住む人々は難民となりましたが、その後ナンガルハル州に帰還して帰ってくる人は、みんな病気で栄養失調状態でした。

❖ 一六〇本の井戸を掘り、用水路を拓く

そこで中村先生が考えたのが「病気を治すだけが能じゃない。病気を治す前に解決すべきことがあるのではないか……」ということでした。干ばつとかで食べていけない人のための食糧、あるいはきれいな飲み水の不足が大きな課題でした。水そのものがないか、あっても不潔で、それによって病気になることもあります。そこを何とかしなければならないと、中村先生は考えました。

昔は豊かな緑の土地だったところは、水さえあれば何とかなるということで、中村先生はまず井戸を掘ることから始めたんです。そして現地の住民と話して、一六〇本の井戸を掘りました。

しかし、一六〇本の井戸は飲み水としては十分生かされますが、農業用水に使うまでには間に合わない。汲んで流すわけにもいかない。農業用水に使う場合は井戸水だけではだめです。灌漑で乾いた土地を緑に変えようということで、中村先生は灌漑の仕事を始めるようになっていきます。次第に灌漑に専念するようになり、日本からもいろいろな人がアフガニスタンにワーカーとしてやっ

て来ました。静岡県の掛川から来た伊藤和也さんは元は「カレーズの会」で活動と関わりをもってくれた人ですが、農業高校の出身だったので、アフガニスタンに行って中村先生を手伝うようになりました。

クナール河という豊富な水量をもつ河川に灌漑施設を作ることになり、中村先生は日本のさまざまな場所を視察して、現地に合った灌漑のやり方を考えました。そのときに、鉄の網を編む蛇篭に大量に石を積み込んでそれを絞りこみ、積むことによって壁を作ったり、水を止めたりする、九州に昔からあった手法を試しました。

この方法ならば現地で誰でもできるし、壊れても直せるからです。現地の人たちのことを思って中村先生が提案しました。結果的に目標の二〇キロよりも長く二五キロくらいの水路を掘って、緑豊かな土地を蘇らせることに成功しました。

❖「レシャードさん、ザボン知ってるか」

二〇〇八年八月に、先に紹介した伊藤和也さんが、アフガニスタンで誘拐され銃撃されて亡くなりました。伊藤さんのお葬式などを「カレーズの会」も手伝ったりしました。このころから、中村先生とはいろいろと親密に話をするようになりました。

二〇一四年一一月に私がジャララバードを訪ねたときは、中村先生の活動を見せてもらい、先生の家に泊めてもらって、一晩中話をしました。次の日もいろいろな場所を回って活動を見たのですが、正直言ってびっくりしました。大昔、緑豊かな土地だったけれども、そのあと荒れ地となり砂漠化したところが、何と元の通り緑の土地に戻っていたのです。

写真を撮ったり、緑地帯を見たり、活動の現場を歩いていたら、果樹園に果実がいっぱいなっていました。私の後ろから中村先生が、「レシャードさん、ザボン知ってるか」と言いました。「知ってるよ。ザボンは九州にいっぱいできるんだろう」と答えると、「捨てたもんじゃねーぞ、ほら見てみろ。こんなのができたよ」と言って、立派に育ったザボンを切って持ってきてくれました。

「あんたも好きだなあ、こんなところに九州を作るんじゃねーだろうなあ」と私が冗談を言うと、「いやいや、それもいいんじゃねーの」と、中村先生は嬉しそうに話しました。

※中村哲医師、アフガニスタン名誉市民に

ちょうどその頃、「農業の方に余裕ができてきたので、今度は家畜をちょっと育てたい」と、中村先生は牛や羊を育てることまで始めていました。「そんなものにまで手を出したら、一生帰れねーよ」と私が言うと、「帰る気はねーよ」と返ってきました。

中村先生はいつも本気で、アフガニスタンのために必死だったことを私は覚えています。そして現地では、皆に慕われ、好かれていました。アフガニスタンの人たちがすごく好きだったので、「一生ここで働くことになるだろう」とも言っていました。

二〇一九年一〇月、中村先生は「名誉市民」という地位をガニ大統領から授けられました。そこ

アフガニスタン・ナンガルハール州に2020年9月に完成した中村先生の記念塔

中村先生の功績を称え、平和と復興のシンボルとしてアフガニスタンの記念切手になりました（2021年1月）

（共同）

で電話をしました。

「おめでとうございます。やっと中村先生にふさわしいものをもらいましたね」と話すと、「俺、これを待ってたんですよ。こんな嬉しいことはないよ。日本のどんな勲章よりも、アフガニスタン市民証をもらえたことが一番の光栄であって、本当に嬉しいことだよ」と答えていました。興奮して、泣きそうなくらい嬉しかったようです。

「自分はアフガニスタン人になりきってしまったところがある。だから皆と一緒に働いて、その一員であるということ。それをとことんまでやっておかなければいけない」という思いがあったのだと思います。だから名誉市民証をもらったときに、「これでアフガニスタン人のひとりとして尊敬されるな」ということを思ったのではないでしょうか。

❖ カカムラード

二〇一九年一〇月、令和天皇が即位した「即位礼正殿の儀」のために、ガニ大統領が日本に来ました。私は大統領のところに行っていろいろと話をしていると中村先生の名前が出て、「本当によく頑張ってくれていますよ」と、大統領の口から出ました。二〇一九年に静岡まで中村先生が講演に来たときにも、「応援してるよ」と話をさせていただいたのですが、まさかあんなテロに逢うことになるとは、思いもよりませんでした。

中村先生はアフガニスタンの人たちから、「カカムラード」と言われていたのです。「カカ」はおじさんで「ムラード」は希望なんです。「希望を与えるおじさん」です。

中村先生の死は、アフガニスタンの人々にとって本当に大変悲しいことでした。多くの市民が残念がって、あちらこちらでお葬式とお別れ会が開かれました。カンダハール市からは離れてはいますが、「カレーズの会」でも何度もお別れ会を開いて、職員以外にもけっこう大勢の人たちが集まりました。本当に残念でなりません。

アフガニスタンの人々は、中村先生の死に関して「申し訳ない」というのが最初の言葉なんです。「先生に一生懸命やっていただいたのに、何でこんなことになったのでしょう」と言っているのです。狙撃犯が躊躇なく中村先生を射殺しているところをみると、はじめから狙われていたのでしょう。そのような噂もあります。「ちょっと危ないよ」ということは本人に伝えてあったようです。

水路などの利権が原因ではないかと思われます。アフガニスタン人ではなく、誰かが企んで殺したという話もあります。まったく読めないところですが、利権が一番大きいと考えるべきでしょう。ある地方が豊かになって、いっぱい収入も緑もあるとなると、そうでないところでは、それを妬む人もいるでしょう。

❖小さな親切と食べていける術で子どもたちは健康になれる

「人の役に立ちたい」とか、「困っている人を見捨てておけない」とか、心からそういう思いをもっている人間の場合は、どうしたら皆が本当に助かるだろうということが、一番大きなことだったのではないかと思うし、中村先生の中ではそれが一番大事なことだったと思います。

もうひとつ、中村先生がいつも言っていたのは、「人は闘いとか武器で幸せになれるわけがない。いくら武器を使って闘いをして、状況が改善しても、皆の心の中のどこかに傷として残るし、逆にそれが憎しみとして残る。平和にはなれない。やっぱり人間にとって一番いいのは、小さな親切と、あとは食べていけるだけの術であって、それによって子どもたちは健康になれる」ということです。

まさにその通りだと思います。

中村哲先生のご冥福をお祈りいたします。

コラム

レシャード・カレッドの眼─診察室の窓から心の声を聴いて、診る【③】

❖地下資源に対する周辺国の競争と〝悪用〟との戦い

❖中国・ロシアに支援を要請するタリバン政権

アフガニスタンの国土に眠る膨大な地下資源の存在は以前から知られているところですが、治安の不安定と技術力のないアフガニスタン政府にはその活用ができていません。米軍の長年の侵攻と制圧時においても、この事実は知られていました。米国はアフガニスタンの地下資源の独占を考えていましたが、当時のアフガニスタン政府組織と折り合いが付かなかったために、放置していました。

アフガニスタンでは、二〇二一年八月にタリバンの暫定政権が発足しましたが、人権問題を理由に、日本をはじめ米欧諸国は、タリバン政権を承認しないだけでなく、経済制裁を科し続けています。そのためアフガニスタンの経済は破綻し、飢餓で苦しむ国民が人口の五〇％にも達する事態にまでなってしまいました。国際社会から無視されたタリバン政権は、アフガニスタン国民の悲鳴に応えるために、中国とロシア、時にはイランにも近づくようになり、支援を要請しています。

❖鉱山開発の契約にこぎつけた中国の目論見

このような状況の中で、機会を見逃さないしたたかな中国政府は、タリバン政権に寄り添うふりをして、地下資源、特に貴重なリチウムなど総額一〇〇兆円相当の鉱山開発を提示し、契約にこぎつけました。この計画の進行によって約三千名のアフガニスタン人に職の機会が与えられることを、タリバン政権の鉱物石油相が発表しています。

アフガニスタンの首都カーブルの南部約四〇キロのアイナク銅山では、約一千万トンの銅の存在が確認されています。過去にも中国がその発掘と利用を目的に国有企業と契約をしていたそうですが、当地の治安の悪化で諦めることになったということです。

過去の調査でアフガニスタンには二二億トンの鉄鉱石、一四〇万トンのレアアースが存在し、さらに北部では天然ガスや石油の存在が示唆されている報告もあります。そしてこれらの資源に関しても、中国企業が五億四千万ドルを提示し、契約を進めていることがマスコミで発表されました。

駐留米軍の撤収し、タリバン政権発足後に、国際社会がアフガニスタン政府と積極的な関わりを持たなくなったことで、中国にとってライバルが不在となりました。中国は、この空白を埋める形で積極的にアプローチをして、鉱山の発掘と開発を進めているようです。政治評論家の中には、このアプローチについて、単なる経済的な問題ではなく、タリバンの政治家たちを影響下に置くことを目論んでいるのではないかと言う人もいます。

❖ 中国企業のアフリカ市場への進出と資源確保

一方、一九六〇年代から、日本は家電メーカーを中心にアフリカ市場に進出していましたが、次第に韓国企業に追い抜かれ、二〇〇〇代になると中国企業がアフリカの経済を左右する良きパートナーとなっていきます。輸出入双方で膨大な経済効果を上げることで、アフリカの国々に頼られる存在となった中国は、資源確保のみならず、「国際世論の形成」を得ることで、国際的な印象を良くすることを目指しているようです。

アフリカの国々の政府が、この機会を自国の就労先確保に結びつけたいと考えるのは当然のことです。ところがその期待に反して中国政府は、約一〇〇万人の中国人を派遣して、現地での業務に当たらせています。そして計画の施行後も住み続け、働き続けている中国人の姿が見受けられています。このような行為によって、中長期的に中国の影響力を浸透させることが彼らの目的ではないかと思われます。

ウイグル族というもうひとつの目的

アフリカで働き続ける中国人たちは、エネルギー開発・インフラ整備、貿易取引、小売り、不動産、製造業など、職務を次々と変えて儲かる手段を確保して、アフリカに定住を続けようとしています。アフガニスタンにおける地下資源開発においても、中国はアフリカでの経験を生かして、中長期的な影響力を残すのではないかと考えられています。

中国のアフガニスタンへの接近は、地下資源の利用価値だけが目的ではないと思われます。

中国の西部地域で日常生活を営んでいるウイグル族は、イスラム教を主体とした理念と生活様式を維持しています。共産主義の中国が、ウイグル族の宗教的な理念や風習を受け入れることはありません。よって中国政府はウイグル族を差別し、社会的に追い詰めることを目的に、彼らの習慣や日常の風習を制限する形で圧力をかけています。またウイグル族の他地域への移住を進めて、都市部の環境において彼らの孤立をはかることを計画的に試行しています。

このような状況の中、中国政府はアフガニスタンに隣接しているウイグル族の地域が、タリバンの宗教的な理念によって影響を受けることが、中国にとって危険なことであると認識しているようです。そのためタリバン政権と親密な関係を作り上げることが、その防衛になると信じているようです。

❖タリバン政権への後押し

国際社会がタリバン政権を承認せず種々の制裁を科している中で、二〇二三年四月一二日に中国を中心として、アフガニスタン周辺の四カ国（イラン、パキスタン、ロシア、中国）の外相がウズベキスタンで集合し、国際社会がタリバン暫定政権を承認し、平等な権利を与えるよう確認しました。そしてアフガニスタンは、これらの国々と今後も建設的な信頼関係を築くことを推奨しました。そのためにはタリバン暫定政権が、「女性や児童、少数民族を含むアフガニスタン人全体の基本的権益を守り、国際社会の期待する方向へ前向きな努力を続けることを望む」と発表しました。

アフガニスタンの未来と、国民の将来という観点からみて、国際社会によるタリバン政権の非承認や、政治的・社会的・経済的な孤立が、タリバン政権と中国・ロシアとの関係をさらに密にする結果を引き起こしかねません。早期にその対応を考え直す必要があるのではないかと思います。

（文化連情報二〇二三年四月号）

6 アフガニスタンの将来のために

1　日本ができること

二〇二二年二月二四日のロシアのウクライナ侵攻によって、日本ではアフガニスタン報道はすっかり少なくなってしまいましたが、アフガニスタンでタリバンが政権を掌握して一年が経過しました。治安は多少安定していますが、政治的、経済的な様子に変化はなく、多くの国民は飢餓や栄養失調で苦しんでいます。

❖国際人口問題議員懇談会

タリバン政権が国際社会から承認されないこと、国際通貨基金（ＩＭＦ）の支払い凍結、国際支援の停止・凍結によって、アフガニスタン国内において公務員の給与の支払いがストップしたために食糧の購入ができなくなり、子どもの飢餓が深刻になっています。食糧事情だけでなく、金銭的な不自由のために薬剤の購入ができず、医療機関では患者の治療が滞ってしまうケースも少なくありません。

このような実情が多くの国々で報道されていたにも関わらず、それに対するアクションがまったくない状態です。

長年アフガニスタンで人道支援活動を継続的に行っている日本のNGO関係者は、二〇二一年一〇月にその対策会議をオンライン形式で開きました。この会議では多くの方と積極的な行動を起こすことの必要性を確認しあいましたが、肝心要の外務省にどう関心を向けさせ、どういう形であれば外務省が行動を起こせるのかが課題となりました。

そこでまず国会議員にアフガニスタンの実情を知ってもらうために、国会内の国際人口問題議員懇談会（JPFP）の勉強会の場を借りて、上智大学の東大作教授の講演と、私がアフガニスタンの医療、教育、治安情況を報告の形で問題提起を行いました。

国際人口問題議員懇談会の座長は元総理大臣が務めることが多いのですが、現在は元法務大臣の上川陽子議員が務めています。

❖日本政府の直接的な関与が不可欠

議員懇談会では、国会議員にアフガニスタンの実情を十分に理解していただいた上で、日本政府がどう対応をするか、つまりアフガニスタンの飢餓や栄養失調の状況を改善するには、直接的な関与が必要不可欠であることを理解していただくことです。本来ならば、この懇談会に外務省の幹部や担当者も出席して、タリバン政権との関わり方、食糧支援とアフガニスタンの全国各地への食糧支援の手段を考え、確実な実行とその効果の評価が必要と思いましたが、実際には外務省の関係者の出席はなく、二次的な対応で議員から情報や支援の手段を伝えることになりました。

私の最初の問題提起は、タリバン政権以前のアフガニスタンの医療事情、教育事情、そこに関わっている医療スタッフの職種と人数などです。ユニセフの二〇一九年の報告では、アフガニスタンの五歳未満児の死亡率は六・二％（日本は〇・二％）、乳幼児（一歳以下）の死亡率は四・八％、新生児（出生二八日以内）は三・七％です。一方、妊産婦の一回のお産関連での死亡率は〇・六三八％ですが、アフガニスタンでは女性一人が平均七回お産をするので、一人当たりの一生での死亡率は四・四五％にも上ります。このような現状の背景には医療スタッフの不足に加えて、多くの人が自宅でお産をすることが挙げられます。

アフガニスタンの医師の総数は一万一一四四名で、これは人口一〇万人に対して三五名となります。もちろん、日本と単純に比べることはできませんが、日本は一〇万人あたり二五八・八名です。看護師の人数は一万一四八三名で、一〇万人あたり三六人で、必要な人数には遠く及ばない数字です。

タリバン政権樹立とともに多くの優秀な人材が国外に退避したことで、この数字はますます厳しい状況に陥っていくと思われます。

一方、教育の現状を見ると、識字率は男性六二％、女性三二％で、初等教育の終了率は男子六七％、女子四〇％、前期中等教育（中学校レベル）は男子四九％、女子二六％、後期中等教育（高等学校レベル）の終了率は男子三二%、女子一四%に過ぎません。

このような現状は、永らくアフガニスタンが戦禍にみまわれ、若者が戦場に駆り出されて、勉強する時間がなかったことを意味しています。もちろん、地方ではまともな学校が存在しないこと、十分な教師がそろわないことなども挙げられます。

❖多大な犠牲を払ってきたアフガニスタン国民

治安の課題も説明しました。戦火が続いていたアフガニスタンでは米軍の空爆、テロ、地雷による犠牲は日常茶飯事です。世界保健機関（WHO）の報告では、二〇〇九年には二四一二名が死亡し、三五五七名が負傷しました（合計五九六九名）。この数値は年々増加し、二〇一六年のピーク時には死者三五二七名、負傷者七九二五名（合計一万一四五二名）となりました。その後も減ることなく、二〇二一年の最初の六か月では、死者一六五九名、負傷者三五二四名（合計五一八三名）を数えています。皮肉なことに、タリバンが政権掌握後、この数値は死者三八六名、負傷者四一〇名と激減しています。

この状況を説明する意味は、アフガニスタン国民は永い戦乱の間、常に多大な犠牲を払って生きることを強いられていたことを示しています。国民は常に平和と平穏な生活を期待し、いつの日にか、お腹一杯食べること、安全に子どもを産んで、健康に育てること、子どもの将来を豊かにできる教育を受けさせることが夢でした。しかし、それらはなかなか叶わない夢でした。今までの政府や政権でも安らかな生活は期待できず、皆を絶望に追い込んでしまいました。

それが政府に対する不信感に繋がり、結果的にはタリバンの潜在支持層を膨らませ、無血でカーブルの制圧を成功させることになったのではないでしょうか。

❖タリバン政権下の生活

アフガニスタンの医療、教育、治安事情を説明した後に、タリバン政権下での一般市民の生活環境と苦労を報告しました。

アフガニスタンにおけるコロナ禍での発症率は決して少なくはありません。PCR検査の陽性率は二〇％を数え、高い値になっています。その誘因はPCR検査キットが足りないことです。しかもタリバン政権になった八月末からの検査数は以前の一五％に過ぎず、陽性率は低い状況が続いています。

その誘因は、国際支援が停止されたことによってPCR検査キットなどの医療設備や資材が提供されなくなったためと思われます。コロナ感染者のレベルには大きな差はないものと思われます。国際慈善団体の退避が進むに連れて、活動しているカレーズの会のような診療所に患者が殺到しています。しかし現金が扱えない、銀行から貯金や活動費を下ろせないことで、患者に提供している薬剤が買えずに、提供できない状況が続いています。

タリバン政権が女性の活動を制限し、職場や学校への出席も制限していることが報道されています。しかし、カレーズの会が診療所を設置しているカンダハール市では、八月末にタリバンの保健担当者が診療所を訪問し、今後も医療活動を継続的に行って欲しい旨の説明がありました。タリバンの保健担当者が当診療所にやって来た時に、患者の約六〇%は大人の女性で、また二四時間三六五日、お産関連の活動を女性スタッフが中心に行っていることを説明しました。タリバンの主張している女性の活動制限では、これらの仕事は行えないので困ることを訴えました。すると保健担当者は、今まで通りに医療保健活動を継続してもらいたい。サポートが必要であればタリバン行政として協力を惜しまないことを約束しました。

カレーズの会が教育支援をしているハジ・ニカ学校でも、約五五〇名の小学校の女子生徒たちが出席して授業を行っています。このことは、タリバンがすべてのことを偏った発想で行ってはいないことを意味しています。

国際社会がアフガニスタンの現状をどう理解し、女性の人権や教育を優先的に考えることも結構ですが、飢餓に苦しむ子どもたち、給与の支払いがストップされている公務員、教員、病院関係者の生活はどう営まれるのでしょうか。国際社会が今後アフガニスタンの国民のことを真剣に考えて、日常の当たり前の生活ができるように、緊急に国際支援を行う必要があります。

そのためには、もともと「田舎侍」のような集団であったタリバンが政権を掌握したので、政権運営、管理監督の方法、説得力のある説明や訴えも発信できていません。そのような彼らを教育する必要があります。その前提条件としては、信頼関係を築くことが重要であり、孤独ではないと想い起こさせる必要があります。それによって、他のテロ組織や過激な集団と手を組まないように監視することは、国際社会においてテロの拡大を阻止できる手段だと思います。

日本政府はアフガニスタンの支援において積極的な役割を果たし、第一回のアフガニスタン関連復興会議が二〇〇二年に東京で開催され、国連難民高等弁務官を務めた緒方貞子さんが主導権を発揮して、多くの国々の協力を得ることに成功しました。実際に、国際協力機構（JICA）を始めNGOや国際団体を通じて、多くの分野において支援や指導を行ってきました。今こそ、日本政府がタリバン政権と直接の対話の機会を作って、信頼関係を築く必要があります。

❖参加者との応答

これらの報告に、議員の皆さまからはいくつか質問を頂きました。そのうちの一つは、「アフガニスタンでは食糧事情が大変厳しいと聞いているが、なぜ麻薬やケシを栽培するのか」というものでした。

それに対して「アフガニスタンは永年干ばつに見舞われ、まともな食糧としての麦や米は収穫できません。しかし干ばつ地帯でも栽培が可能なのがケシです。そしてそれが高価なものとして売れるのです。農業用水が確保できているところでは、ペシャワール会の中村先生が頑張って作っていただいた灌漑の周囲には豊かな緑地帯ができて、豊かな穀物が採れるのです。そこには麻薬やケシの栽培の必要はありません」と答えました。

治安や秩序の質問に対しては、ソビエト軍がアフガニスタンに侵攻制覇したときには、万年雪の豊かな山々の緑豊かな地帯は反政府勢力のムジャヒディンが森林に隠れることから、徹底的な伐採を行ってしまいました。その結果、多くのところで干ばつが発生し、雪解けの時には洪水に見舞われました。

また長い戦争の残骸として、約八〇〇万個の地雷が残されていたのです。それが主に農地や日常生活の場にあり、農業や生活の手段を奪う結果となってしまいました。

貧困がテロを助長し、食べていけない家庭では、子どもが三〇〇〇米ドルのために自爆テロを引き起こして、家族に金銭的な支援を行っています。

すべての誹謗中傷は戦争や二次的な貧困によることが多いのです。

最後に、「結論的には、この惨事を日本政府、そして今ここに参加されている議員の皆さまの判断と決断のほか解決する術はありません。アフガニスタンの国民は、最も信頼している日本の継続的・効率的な支援を首を長くして待っています」と申し上げて勉強会を終えました。

2 対話と相互理解が安定と繁栄の基本

❖ タリバンとどう向きあうか

今後の国づくりに国際社会がどう関わり、約四〇年間戦禍に見舞われ続けたアフガニスタンの運命をどう変えるのかは、侵略や軍事侵攻の主役であったロシア、米国やＮＡＴＯ諸国、そして日本国を含めた国際社会の責任と役割ではないでしょうか。

二〇〇一年九月一一日の米国同時多発テロの発生によって、米国の忠告に従わなかったために当時のタリバン政権は崩壊し、ドイツのボンでの国際会議で決定した暫定政権の樹立、新憲法制定、国会選挙などが行われました。国際社会の支援による新たな国づくりが始まって、アフガニスタン国民を始め、世界中の人々がアフガニスタン国の再建に期待をかけて注視しました。確かに一時は、教育、医療、農業、行政の基盤作りなどにおいて進捗が見られました。

しかし、この傾向も同時多発テロの主犯格と思われていたアルカイダの首領オサマ・ビン・ラディンの殺害（二〇一一年五月）によって膠着状態に陥ってしまいました。その後は、国内の治安情勢が徐々に悪化するとともに行政に対する不信が進行し、国際支援金の多くは賄賂などの不正行為で消費され、政府に対する国民の信頼が日に日に失われていきました。

そのような状況のなか、地方で幅広く浸透したのがタリバンの権力でした。タリバンの方が政府の役人よりも信頼度が高いという状況になってしまいました。

イスラム主義勢力タリバンは二〇〇一年に政権から追われました。反政府勢力として活動を始める前の二〇〇二年に、タリバンは当時のアフガニスタン政府と対話をもつことを望んでいたことが、スティーブ・コール氏の著書（『シークレット・ウォーズ～アメリカ、アフガニスタン、パキスタン三つ巴の諜報戦争〈上〉』笠井亮平訳　白水社　二〇一九年）に記載されています。

仲介に入った米国政府を始め、当時のアフガニスタンのカルザイ大統領がタリバンに好意的ではなかったようです。その後もタリバン側から数回同様の申し出がありましたが、無視されていたようです。二〇一二年東京国際会合に出席し、その事前のフォーラムで講演した国連難民高等弁務官事務所（UNHCR）のアフガニスタン担当のラホダール・ブラヒミ氏がアフガニスタンの和平プロセスにおいて、この時点でタリバンと積極的に対話をもつべきであったと、反省の弁を述べていました。

アフガニスタンの政治的なプロセスの中で、最終的な段階まで十分な対話が行われず、総合的な理解と譲歩に基づいた解決策が選択されませんでした。

二〇二一年のタリバン政権発足後、経済的な要素はもちろんのこと、支援国との対話、国づくりの計画、収入源の開拓と確保、国民の理解、そしてタリバンとして宗教的、慣習的な発想に基づいた国づくりの手段が見えてきていません。

もちろん、このような段取りはタリバンだけで準備し、周囲の理解を得て、実行することは不可能だと思われます。専門的な知識や政治的なノウハウを習得していないタリバンだけで、多方面における政権を運営すること、計画的な予算づくりや確実な収入の確保、さまざまな情報の掌握や種々の行事の履行は不可能なことだと思われます。

本来ならば、タリバンがアフガニスタンの正式な前政権と協議に基づいて連携をし、多方面においてそれぞれの特色を生かした役割と分担を決定して、実行することが理想的な形でありました。

しかし、ガニ政権は思いがけなく崩壊し、話し合いなくしてすべてがタリバンに任されたことで、どこから開始すれば良いのか、どこまで踏み込んだ行動を起こせば良いのかを、統治力のない彼らに任せること自体が無理な話です。この状況下で、スムーズにいかないすべてがタリバンの責任であったとしても、その処理はタリバンだけで解決できる話ではありません。

タリバンは国民の信頼を失う結果となり、現在発生している飢餓や給与不払い、生活の基盤の崩壊に繋がって、最終的にはタリバンではなく国民にしわ寄せが来るのです。この状況は、不信感によって国民の信頼が消失するだけでなく、一枚岩ではないタリバン組織の間で信頼関係が崩れる誘因となるとともに、政権の崩壊への新たなステップにもなりかねません。

この機会を待っていたかのように、テロ組織や海外の不法行為者が行動に移すことも予想されます。無法地帯、これが最悪のパターンであります。実際に二〇二二年八月にアルカイダの指導者のザワヒリ氏がカーブルのマンションで米軍の襲撃で殺害されたことが、その前兆であります。

国際社会が常々理想論を追究しようとしていることは理解できない訳でもないのですが、崖っぷちにいる（タリバンのような）組織にとっては、国を統治することは命がけのことであって、失敗することがあれば結果的にアフガニスタン国民の生命と将来に関わることになりかねません。

今はアフガニスタンの運命を握っているのはタリバンであります。統治や管理能力がない組織であっても、今彼らを上手に利用して、アフガニスタンは将来、いや先ず現在の難題や課題を解決させなければなりません。それによって、一人でも多くのアフガニスタンの子どもや恵まれない人々を救うことができればと思います。

コラム

レシャード・カレッドの眼―診察室の窓から
心の声を聴いて、診る【④】

❖天皇皇后両陛下の人柄に触れて

二〇一〇年三月、アフガニスタンでの保健医療活動などを説明するため、皇居に招かれて、現上皇で当時天皇皇后であった両陛下と懇談しました。その様子や感想を紹介します。

三月一九日の午後に吹上御所を訪問し、約一時間半、両陛下と三人で懇談の場を設けていただきました。緊張している私を穏やかに、優しく迎え入れてくださった両陛下はあいさつが済むと、私が書いた本『知ってほしいアフガニスタン』の内容に触れられ、日本に来たころのエピソードや苦労話を聞いてくださいました。

アフガニスタンの治安情勢に関心を寄せられ、地方における復興の状況、医療や教育の現状、そしてNGOカレーズの会が行っている活動を詳しく聞いていただきました。大変な情勢の中で行っているこのような支援などをお褒めいただいて、今後も頑張るよう勇気づけられました。

天皇陛下、皇后陛下はアフガニスタンに特別な興味と関心をお持ちであります。ご夫妻が皇太子時代にアフガニスタンを親善訪問され、バーミヤン大仏やバンデ・アミール湖を見学されて、歴史的な重要性について述べられたことがあります。また、アフガニスタンの夜空と星の美しさに感動を覚えられたことも指摘されていました。

このような過去の印象によってアフガニスタンに特別なご関心をお持ちであり、その後のアフガニスタンの悲惨な状況に心を痛めておられました。

私が特に感心しましたのは、皇后さまが南米に移民として移住された方々のご苦労を、昨年現地で目の当りにされたり、成功した事例の報告を聞かれたりして、その方々を尊敬されていたことでした。その上で、移民として入植された方々を現地住民が温かく迎えたことに感謝をされましたが、現在その子孫が日本に戻って来ると、彼らに対して国内で冷たい態度が取られていることを残念に思われるとの発言をされていました。

一方、外国人看護師や介護師の雇用において言葉の問題、理解度の差、専門語の使い方などを、こと細かく例を挙げて説明されるとともに、職場での待遇や潤滑な人間関係をご心配されていました。

また天皇陛下は、結核の問題と若者の間での集団発生に触れられ、免疫力の低下、在日外国人の医療保険がないために受診ができず、集団感染の誘因にならないかなどと心配されました。

そして、国際支援や援助のあり方においては、相手の需要を優先的に考えるべきであることの重要性を私が申し上げますと、両陛下の経験された事例とそのときの課題についても詳しくお話いただきました。

私にとりましては、両陛下の勉強熱心で知識の豊富なことは驚くばかりであり、大変有意義で楽しい懇談の場でありました。皇室は一般国民から遠い存在のように思われがちですが、このように両陛下の素朴なお人柄を紹介させていただくことで、みなさんに親しみを感じていただければ幸いです。

◇―あとがき

❖政治と人間の尊厳重視の課題

「人間は、生まれながらにして自由であり、尊厳と権利において平等である。」これが世界人権宣言の基本と目されています。そして、人種、皮膚の色、性、言語、宗教、政治的な地位、社会的な地位、出身、財産や門地によって差別されることはあってはなりません。医療、福祉や社会的な環境においても個人一人ひとりの権限と受けるサービスの選択は自由であり、その実行においては医療や福祉の担当スタッフとの信頼と互いに尊敬し合うことが基本であります。

各国の憲法においても尊厳と権利が謳われ、その遵守が義務付けられています。国によっては、憲法の基礎に宗教が色濃く反映し、それによる独特な決まりごとがあります。

アフガニスタンの憲法の前文において、「①全能の神アッラーを固く信じ、アッラーがお許しになる仁慈にすがり、そして、イスラムの神聖なる教えを信じて、②国際連合憲章を遵守し、そして世界人権宣言を尊重し、③法治主義や社会正義、人権の個人尊厳の保護に基づき。そして、国民の基本的な権利と自由が確保され、抑圧や残虐行為、差別および暴力のない市民社会を創造する」としています。

このように、国において第一条の解釈によって憲法の基本的規定が宗教に左右されることがあります。シルクロードの交差点と目され、多くの民族の交わりと交流の場として栄えていたアフガニスタンは、一九七九年にソ連軍の侵略で始まった不穏と治安の不備が、その後のムジャヒディンの対立と殺し合い、それを収める役割を背負ったタリバン政権、表向きにはアフガニスタンをテロの温床にさせないための米軍の侵攻と二〇年間の統治によって、国民の生活、教育、医療や健康、そして人情と思い遣りまでが崩壊されてしまいました。

もちろんこの間、アフガン国民の尊厳、権利や自由がすべて束縛され、生きる権利までが奪われ、貧しく、不安な日常を営むほかなかった現状が続きました。二〇二一年に、米軍の撤退とタリバン政権の復権によって平和的な日常生活を期待していた国民の願いと相反し、イスラム教の規定による女子の教育や就労を制限することになってしまいました。期待していた国民は情けないぐらいがっかりし、救いようのない絶望感に駆られているのが今の現実であります。

神様が人間にすべての機能を平等に授けるとともに、尊厳や種々の権利も当然平等に与えてくださったことは想像に値します。もちろん男女も当然平等の権利を持ち、平等な取り扱いを受けることはどんな宗教においても基本であります。よって、宗教を理由に女性の権利を制限することは許されない現実であります。

しかしアフガニスタンは、シルクロードの交差点の中心に位置し、永年種々の民族と交流の機会の多い国であります。近隣の国々の文化や習慣との交わりが多く、アフガニスタンにイスラム教が普及する際に、それぞれの文化が深く影響を与えていることも拭えない事実であります。地域によって、女性が髪や身体を隠す服装を着用するのは、このような文化の流れであり、時にはこの習慣が宗教と混合されることがあるかもしれません。

アフガニスタンの人口は多部族によって構成されていることは先も述べたシルクロードの流れであり、部族ごとに言葉や習慣に差があることは歴史的な事実であります。人口の大半を占めるパシュトン族は文化的に女性のヒジャブ（ブルカ）を好んで使用し、家庭の外での行動が制限されることは日常的であります。タジック族、ウズベック族ではこの習慣がより緩やかに勧められています。一方、ベドウィン族（遊牧民）の女性は一切ヒジャブを使用することがなく、常に普段の姿でテント内（住居）や地域で活動しています。

タリバン政権の、女性にヒジャブ（ブルカ）の着用を強制させようとする政策は、このような文化の影響を受けて主張しているように思われます。しかし、近代の文化や時代の流れにおいて、各イスラム国においてはこのような主張が成り立たず、男女は平等の権利を有し、女性だけが社会的な抑圧や制限を受けることはありません。よって、タリバン政権のこのような行動が国際社会から厳しい目で見られ、批判されています。

タリバン政権の中には、女性に対して解放的な考えを持っている幹部もいることが最近のマスコミで報道されています。政権下において異なった発想や方針を持っていることが、政権内の不協和音の誘因となりうる可能性があります。過去のタリバン組織が対アフガン政府に対する種々の攻撃やテロ行為を行っていたこともあって、現在政権を掌握した状況において、再度組織の分裂と反発行為に走る恐れがないわけでもないと思われます。よって国際社会、特に信頼の厚い日本国政府やNGOが彼らと対話の機会を持ち、信頼関係の回復を図る必要があります。対話によって、女性の尊厳と権限が回復する可能性が高いと私は思っています。

人間誰もが、自由で心豊かな人生を全うしたいものであります。性別や国籍を問わずに、生まれたままの赤ちゃんのように、伸び伸びと泣き笑い、神や母親に見守られて生活する、社会的な役割を果たす、老いた時には優しく見守られ、笑顔と満足感の中で最期を迎えること。人間、誰もの夢と希望であります。

アフガニスタンをはじめ、世界中にこのような時代が来ることを願って……。

❖戦争による苦悩を乗り越えて

ロシアのウクライナ侵攻が開始されてから一年以上が経過してしまいました。膨大な被害を被っているウクライナ、決して成功や勝利の証が見えていないロシア。長引く戦争がもたらすものは殺戮、破壊、憎しみ、そして哀れな一般住民の姿や国民の貧困と絶望であります。戦争に勝者がいないのは、ともに滅びる運命を待つほかないからです。

過去に世界の各地で発生した戦争の中で、成功して市民に繁栄をもたらせた戦争は一件もありません。戦争終了後には物理的な崩壊だけでなく、人間愛や尊厳が欠如する哀れな社会が残るのみとなり、その社会の復興や国造りには何十年もかかることはまれなことではありません。

ソ連のアフガニスタン侵攻から四四年がたちますが、いまだにアフガニスタン国民は平和と平穏な日常生活を味わうことはできません。戦禍で命を落とした人々と残された家族が、その悲劇と後に続く貧困を乗り越えて社会に適応するまでは長い期間がかかります。飢餓、貧困、避難、そして教育不足が新世代の将来的な発想と夢を打ち砕き、自力で国造りが不可能になって、いつまでも他人や他国を頼るほか生きる道が見つからない現状が続きます。

アフガニスタンではソ連軍の侵攻以降、崩壊した社会秩序が政治的な空白を生み、軍閥による内戦、他国の思惑や影響が続くことになり、結果的には国民の連隊や結束、将来への夢と実行力、すべてが失われていきました。これに絶望した多くの人々が難民として他国に避難し、新たな環境で生活を始めることを選択しています。

もちろん、充分な語学力や技術力をもった人々は受け入れ先で職を与えられることもありますが、技術力のない多くの人々は、避難地で貧しく辛い生活を営むことになります。国際社会の支援を得て、細々と生きる術を得る人もいますが、子どもの栄養状態の悪化、教育環境の不備、健康状態の悲惨さを味わうものが多く、時には再度アフガニスタンに戻ることを選択する者も少なくありません。

国連開発計画（ＵＮＤＰ）の報告書によると、アフガニスタンは長年の非平和的な環境や社会構造の崩壊のために、教育システムの整備が不十分で、識字率が低下していることが分かります。識字率は、宗教や習慣の影響を受け男女格差が顕著で、女性のそれは低い値を示しています。

また二〇二一年八月のタリバンが復権した後に国外退避した避難民を識字率の視点から見ると、国外に移住した避難民の約七〇％が充分な教育を受けた人々で、国内で日常業務を担える層が極端に脆弱になっています。その結果、公務員として職務を果たせる絶対人数が不足し、公的な業務に従事する人材が見つからない状況が続いています。

タリバン暫定政権発足後からアフガニスタンでは一応秩序が保たれ、戦闘やテロによる犠牲者は以前より減少しています。一方で食糧事情は日ごとに悪化し、餓死する子どもが増えています。ロシアやウクライナをはじめ、周辺国から輸入していた食物が手に入らず、国内の物資が高騰したことによって国民の多くが困窮しています。この状況を克服する対策が見つからず、不正な宣伝に惑わされて腎臓などの臓器を提供し、そのお金で家族を養う親も増えています。社会的に秩序の崩壊を招く恐れも出ています。

国連児童基金（ＵＮＩＣＥＦ）の二〇二二年一〇月一七日の発表によると、ロシアによるウクライナ侵攻に伴う経済的悪化で、東欧と中央アジアで四〇〇万人の子どもが貧困に陥っていることが明らかになりました。国連は国際社会に緊急支援を呼びかけています。ヨーロッパでは、子どもの貧困はロシアの侵攻によって一九％増加し、最も多いのは欧米の制裁下にあるロシアで、世帯収入が貧困ライン以下で暮らす子どもが二八〇万人も増加しています。次いでウクライナの子ども五〇万人です。

今までは、子どもの貧困、飢餓はアジアやアフリカの問題と思われていましたが、ヨーロッパの国々でこのような実態が生じたことは驚くばかりです。また飢餓などの現状は、環境問題や気象変動によるものと説明されていました。もちろん多くの地域では、環境問題や気象変動が飢餓や栄養不足を生み出した誘因です。しかし同じような状況がヨーロッパでも起きるとは、通常では信じられないと思われていました。やはり戦争はすべての常識を根本からくつがえし、人間や自然環境の崩壊をまねく原因であり、決して起こしてはならないと、改めて認識する現実であります。

人という漢字は支え合うことを意味しています。優しさ、思いやり、おたがいさま、ありがとう、そして情けの言葉と感情が人と人を繋ぐものであります。もう一度、この根源に立ち返ることを世界の人々に願うことが、今のすべてではないでしょうか。

二〇二三年　五月

レシャード・カレッド

◆レシャード・カレッド＝略歴

学　歴	1969年	来日、千葉大学留学生部入学
	1972年	京都大学医学部編入
	1976年	京都大学医学部卒業
	1977年	医師免許取得
	1984年	京都大学医学博士号取得
職　歴	1976年	京都大学胸部疾患研究所研究員
	1982年	島田市民病院呼吸器科医長
	1989年	イエメン共和国結核対策プロジェクトチームリーダー
	1991年	松江赤十字病院呼吸器科部長
	1993年	島田市にてレシャード医院開業、院長
	1995年	医療法人社団健祉会設立、理事長
	1999年	介護老人保健施設「アポロン」開設、理事長
	2002年	「カレーズの会」設立、理事長
	2003年	社会福祉法人島田福祉の杜 特別養護老人ホーム「あすか」開設、理事長
	2004年	京都大学医学部臨床教授就任
	2008年	島田市医師会長（2012年3月まで）
	2011年	介護複合施設「アポロン伊太」開設 、理事長
その他	JICA	アフガニスタン復興支援(保健医療分野)ワーキンググループメンバー（2002年2月～200年4月）
	JICA	アフガニスタン国・イエメン共和国・パキスタンイスラム共和国、結核対策プロジェクト国内委員（2001年7月～2005年3月）
	1997年	静岡県島田市立島田第1小学校校医（1997年4月～2021年3月）
	2008年	島田実業高等専修学校校医（2008年6月～2021年3月）
	2013年～	大津保育園園医
	2003年	特別養護老人ホームあすか産業医（2003年12月～2018年9月）
	2003年～	島田市結核対策委員会委員
受賞歴	1996年	第8回毎日国際交流賞受賞（毎日新聞社主催）
	2004年	2004Governors Community Service Awards受賞（American College of Chest Physicians主催）
	2006年	第2回ヘルシー・ソサエティー賞ボランティア部門（国際）受賞（ジョンソン・アンド・ジョンソングループ、日本看護協会共催）
	2006年	第3回JICA理事長表彰（独立行政法人国際協力機構主催）
	2008年	第11回秩父宮妃記念結核予防功労賞受賞（財団法人結核予防会主催）
	2009年	第61回保健文化賞受賞（第一生命保険主催）
	2009年	地域医療における厚生労働大臣表彰受賞（厚生労働省）
	2014年	若月賞受賞（佐久総合病院主催）
	2017年	アフガニスタン外務大臣表彰
	2018年	外務大臣表彰

レシャード・カレッド

1950年、アフガニスタン・カンダハール生まれ。1969年4月来日。千葉大学留学生部を経て、72年京都大学医学部に編入、76年卒業。77年医師免許取得。京都大学胸部疾患研究所研究員を皮切りに関西電力病院、天理よろづ病院、島田市民病院などで勤務医。87年、日本に帰化。89年から2年間、イエメン共和国結核対策プロジェクトチームリーダーとして赴任。91年、松江赤十字病院呼吸器科部長。93年、静岡県島田市でレシャード医院を開設、院長。以後、介護老人保健施設アポロン・アポロン伊太、社会福祉法人島田福祉の杜　特別養護老人ホームあすかを設立、理事長。2002年4月、アフガニスタン復興支援のためのＮＰＯ法人「カレーズの会」を設立、理事長。

受賞：毎日国際交流賞、ヘルシー・ソサエティー賞。JICA理事長表彰、保健文化賞など多数を受賞。

著書：『英語－日本語－アフガン語医療辞典』（カレーズの会）『知ってほしいアフガニスタン　戦禍はなぜ止まないか』（高文研）『終わりなき戦争に抗う　中東・イスラーム世界の平和を考える10章』（共著・新評論）『戦争に巻きこまれた日々を忘れない　日本とアフガニスタンの証言』（共著・新日本出版社）『最後の時を自分らしく』（新日本出版社）ほか。

アフガニスタン
戦禍からの再生・希望への架け橋

●二〇二三年六月一五日――第一刷発行

著　者／レシャード・カレッド

発行所／株式会社 高文研
東京都千代田区神田猿楽町二－一－八
三恵ビル（〒一〇一＝〇〇六四）
電話　０３＝３２９５＝３４１５
振替　００１６０＝６＝１８９５６
https:www.koubunren.co.jp

印刷・製本／三省堂印刷株式会社

ISBN978-4-87498-851-0　C0036

アフガニスタン復興支援のための認定ＮＰＯ法人

「カレーズの会」

を支えてください

カレーズ（Karez）とは：かつてアフガニスタンの奥深い国土には豊かな水脈が縦横無尽にあり、命の水脈・癒やしの源・将来への夢を意味しています。会の名称「Karez」は、現地の言葉で“地下水脈”という意味です。一人ひとりの力は一滴一滴であっても、集まれば大地のもとを流れる大きな水流になります。

◇「カレーズの会」の連絡先

〒４２０－０８５６
静岡県静岡市葵区駿府町１－７０
静岡県総合社会福祉会館２Ｆ
静岡県ボランティア協会内
ＴＥＬ：０５４－２５５－７３２６
ＦＡＸ：０５４－２５４－５２０８
Ｅメール：karez@chabashira.co.jp

■年会費は次の通りです。

・個人正会員（一口）　5,000円
・団体正会員（一口）　10,000円
・賛 助 会 員（一口）　10,000円
・学 生 会 員（一口）　2,000円

■会費・寄附金の振り込み先

・郵便振替口座＝００８５０－３－９７９６２
・口座名義＝カレーズの会